# Os chefes
# Os filhotes

# Mario Vargas Llosa

## Os chefes
## Os filhotes

Tradução
Paulina Wacht e Ari Roitman

# ALFAGUARA

© Mario Vargas Llosa, 1959, 1967
Todos os direitos desta edição reservados à
Editora Objetiva Ltda.
Rua Cosme Velho, 103
Rio de Janeiro — RJ — Cep: 22241-090
Tel.: (21) 2199-7824 — Fax: (21) 2199-7825
www.objetiva.com.br

Título original
*Los jefes / Los cachorros*

Capa
Raul Fernandes

Imagem de capa
Grey Villet/Time Life Pictures/Getty Images

Revisão
Ana Julia Cury
Tamara Sender
Cristiane Pacanowski

Editoração eletrônica
Abreu's System Ltda.

CIP-BRASIL. CATALOGAÇÃO-NA-FONTE
SINDICATO NACIONAL DOS EDITORES DE LIVROS, RJ
V426c

    Vargas Llosa, Mario
       Os chefes, os filhotes / Mario Vargas Llosa; tradução de Paulina Wacht e Ari Roitman. - Rio de Janeiro: Objetiva, 2010.

    Tradução de: *Los jefes / Los cachorros*
    135p.                  ISBN 978-85-7962-019-5

    1. Conto peruano. I. Wacht, Paulina. II. Roitman, Ari. III. Título.

10-1958                                      CDD: 868.99353
                                                CDU: 821.134.2(85)-3

# Sumário

**OS CHEFES**     7

Os chefes     9

O desafio     31

O irmão menor     45

Domingo     59

Um visitante     79

O avô     89

**OS FILHOTES**     97

# Os chefes

# Os chefes

## I

Javier se adiantou por um segundo:

— Apito! — gritou, já de pé.

A tensão se quebrou, violentamente, como uma explosão. Todos estávamos em pé: o doutor Abásalo tinha a boca aberta. Ficava vermelho, apertando os punhos. Quando, recuperando-se, levantava a mão e parecia prestes a começar um sermão, o apito tocou de verdade. Saímos correndo estrepitosamente, enlouquecidos, insuflados pelo grasnido de corvo de Amaya, que avançava virando carteiras.

O pátio estava sacudido pelos gritos. Os do quarto e do terceiro anos tinham saído antes, formavam um grande círculo que balançava sob a poeira. Quase junto conosco, entraram os do primeiro e do segundo; traziam outras frases agressivas, mais ódio. O círculo cresceu. A indignação era unânime no ginásio. (O primário tinha um pátio pequeno, de mosaicos azuis, na ala oposta do colégio.)

— O serrano quer nos ferrar.

— Sim. Que desgraçado.

Ninguém falava das provas finais. O brilho das pupilas, as vociferações, o escândalo indicavam que tinha chegado a hora de enfrentar o diretor. De repente deixei de fazer esforço para me controlar e comecei a percorrer febrilmente os grupos: "Ferra a gente e nós ficamos quietos?" "Precisamos fazer alguma coisa." "Precisamos dar o troco."

Uma mão férrea me tirou do centro do círculo.

— Você não — disse Javier. — Não se meta. Vai acabar sendo expulso. Você sabe muito bem.

— Agora não me importo. Ele vai me pagar por todas. É a minha chance, não está vendo? Vamos entrar em forma.

Em voz baixa fomos repetindo pelo pátio, de ouvido em ouvido: "formem filas", "vamos formar, rápido".

— Formemos filas! — o vozeirão de Raygada vibrou no ar sufocante da manhã.

Muitos, ao mesmo tempo, fizeram coro:

— Formar! Formar!

Os inspetores Gallardo e Romero viram então, surpresos, que de repente o bulício diminuía e as filas se organizavam antes de terminar o recreio. Estavam encostados na parede, ao lado da sala de professores, à nossa frente, e nos olhavam nervosos. Depois se entreolharam. Na porta tinham aparecido alguns professores; também estavam surpresos.

O inspetor Gallardo se aproximou:

— Ouçam! — gritou, desconcertado. — Ainda não...

— Cale-se — respondeu alguém, do fundo. — Cale a boca, Gallardo, veado!

Gallardo ficou pálido. Com passos largos, com gesto ameaçador, invadiu as filas. Às suas costas, vários gritavam: "Gallardo, veado!"

— Vamos marchar — eu disse. — Voltas no pátio. Primeiro os do quinto.

Começamos a marchar. Batíamos os pés com força, até doer. Na segunda volta — formávamos um retângulo perfeito, ajustado às dimensões do pátio — Javier, Raygada, León e eu começamos:

— Ho-rá-rio; ho-rá-rio; ho-rá-rio...

O coro se generalizou.

— Mais alto! — irrompeu a voz de alguém que eu odiava: Lu. — Gritem!

De imediato, o vozerio aumentou até ficar ensurdecedor.

— Ho-rá-rio; ho-rá-rio; ho-rá-rio...

Os professores, cautelosamente, tinham desaparecido fechando atrás de si a porta da sala de estudos. Quando os do quinto ano passaram pelo canto onde Teobaldo vendia frutas num tabuleiro, ele disse alguma coisa que não ouvimos. Mexia as mãos, parecendo incentivar-nos. "Porco", pensei.

Os gritos aumentavam. Mas nem o compasso da marcha, nem o estímulo das vozes bastavam para disfarçar que estávamos assustados. Aquela espera era angustiante. Por que demorava a sair? Ainda aparentando coragem, repetíamos a frase, mas tinham começado a se olhar uns aos outros e ouviam-se, vez por outra, uns risinhos agudos meio forçados. "Não devo pensar em nada", dizia para mim mesmo. "Agora não." Já sentia dificuldade para gritar: eu estava rouco e minha garganta ardia. De repente, quase sem perceber, olhei para o céu: persegui um urubu que planava suavemente sobre o colégio, sob uma abóbada azul, límpida e profunda, iluminada em um lado por um disco amarelo, como uma pinta. Baixei a cabeça, rapidamente.

Pequeno, quase roxo, Ferrufino havia aparecido no final do corredor que desembocava no pátio do recreio. Os passinhos breves e tortos, como os de um pato, que o aproximavam de nós interrompiam abusivamente o silêncio que agora de repente imperava, surpreendendo-me. (A porta da sala dos professores se abre; desponta um rosto diminuto, cômico. Estrada quer nos espiar: vê o diretor a poucos passos; velozmente, mergulha outra vez; sua mão infantil fecha a porta.) Ferrufino estava à nossa frente: percorria atônito os grupos de estudantes emudecidos. As filas se desfizeram; alguns correram para os banheiros, outros rodeavam desesperadamente o balcão de Teobaldo. Javier, Raygada, León e eu ficamos imóveis.

— Não tenham medo — eu disse, mas ninguém me ouviu porque simultaneamente o diretor dissera:

— Apite, Gallardo.

As fileiras se organizaram de novo, agora com lentidão. O calor ainda não era excessivo, mas já padecíamos de certo torpor, uma espécie de tédio.

— Cansaram — murmurou Javier. — Muito ruim.
— E advertiu, furioso: — Cuidado com o que dizem!

Outros propagaram o aviso.

— Não — disse eu. — Espere. Vão virar feras quando Ferrufino falar.

Transcorreram alguns segundos em silêncio, de inquietante gravidade, antes que fôssemos levantando a vista, um por um, na direção daquele homenzinho vestido de cinza. Estava com as mãos entrelaçadas sobre a barriga, os pés juntos, parado.

— Não quero saber quem começou este tumulto — recitava. Um ator: o tom de sua voz, pausado, suave, as palavras quase cordiais, sua postura de estátua, tudo nele era cuidadosamente afetado. Será que andou ensaiando sozinho, no seu gabinete? — Atos como este são uma vergonha para vocês, para o colégio e para mim. Tive muita paciência, muita, ouçam bem, com o organizador dessas desordens, mas chegou ao limite...

Eu ou Lu? Uma interminável língua de fogo lambia as minhas costas, meu pescoço, minhas bochechas, à medida que os olhos de todo o ginásio foram girando até encontrar-me. Será que Lu me olhava? Tinha inveja? Os coiotes me olhavam? De trás, alguém deu duas palmadinhas no meu braço, encorajando-me. O diretor falou extensamente sobre Deus, a disciplina e os valores supremos do espírito. Disse que as portas da diretoria estavam sempre abertas, que os valentes de verdade deviam mostrar a cara.

— Mostrar a cara — repetiu; agora era autoritário —, quer dizer, falar de frente, falar comigo.

— Não seja imbecil! — disse eu, rápido. — Não seja imbecil!

Mas Raygada já tinha levantado a mão enquanto dava um passo à esquerda, saindo da formação. Um sorriso complacente cruzou a boca de Ferrufino e imediatamente desapareceu.

— Fale, Raygada... — disse.

À medida que este falava, suas palavras iam lhe injetando coragem. Chegou mesmo, a certa altura, a agitar os braços, dramaticamente. Afirmou que nós não éramos maus e que amávamos o colégio e os nossos professores; lembrou que a juventude era impulsiva. Em nome de todos, pediu desculpas. Depois gaguejou, mas seguiu em frente:

— Nós lhe pedimos, senhor diretor, que deixe os horários das provas como nos anos anteriores... — e se calou, assustado.

— Anote, Gallardo — disse Ferrufino. — O aluno Raygada deverá estudar na próxima semana, todos os dias, até as nove da noite — fez uma pausa. — O motivo vai figurar na caderneta: por se rebelar contra uma disposição pedagógica.

— Senhor diretor... — Raygada estava lívido.

— Acho justo — sussurrou Javier. — Por ser burro.

## II

Um raio de sol atravessava a claraboia suja e vinha acariciar minha testa e meus olhos, invadindo-me de paz. Entretanto, meu coração estava um pouco agitado e vez por outra eu me sentia sufocado. Faltava meia hora para a saída; a impaciência dos garotos tinha diminuído um pouco. Reagiriam bem, depois de tudo?

— Sente-se, Montes — disse o professor Zambrano.

— O senhor é um asno.

— Sem a menor dúvida — afirmou Javier, ao meu lado. — É um asno.

A orientação terá chegado a todas as séries? Eu não queria martirizar meu cérebro de novo com hipóteses pessimistas, mas a toda hora via Lu a poucos metros da minha carteira e sentia desassossego e dúvida, porque sabia que no fundo o que ia se decidir não era o horário das provas, nem uma questão de honra, mas uma vingança pessoal. Como perder esta feliz oportunidade de atacar o inimigo que tinha baixado a guarda?

— Tome — disse alguém, ao meu lado. — É do Lu.

"Aceito assumir o comando, com você e Raygada." Lu tinha assinado duas vezes. Entre os seus nomes, como um pequeno borrão, aparecia com a tinta ainda brilhante um sinal que todos respeitávamos: a letra C, maiúscula, encerrada num círculo negro. Olhei para ele: sua testa e sua boca eram finas; tinha olhos rasgados, a pele afundada nas bochechas e uma mandíbula pronunciada e firme. Ele me observava seriamente; talvez pensasse que a situação exigia que fosse cordial.

No mesmo papel respondi: "Com Javier." Leu sem se alterar e mexeu a cabeça afirmativamente.

— Javier — disse eu.

— Já sei — respondeu. — Está bem. Vamos fazê-lo passar um mau bocado.

O diretor ou Lu? Ia perguntar-lhe, mas o apito que anunciava a saída me distraiu. Ao mesmo tempo começou uma gritaria acima das nossas cabeças, misturada com o ruído das carteiras arrastadas. Alguém — Córdoba, talvez? — assobiava com força, parecia querer destacar-se.

— Já sabem? — disse Raygada, já na fila. — No Malecón.

— Que esperto! — exclamou alguém. — Até o Ferrufino está sabendo.

Nós saíamos pela porta de trás, quinze minutos depois do primário. Muitos já estavam lá fora, e a maioria dos alunos parara na calçada, formando pequenos grupos. Discutiam, brincavam, empurravam-se.

— Que ninguém fique aqui — disse eu.

— Os coiotes comigo! — gritou Lu, orgulhoso.

Vinte garotos o cercaram.

— Para o Malecón — ordenou —, todos para o Malecón.

De braços dados, numa fileira que unia as duas calçadas, nós do quinto fechávamos a marcha, obrigando os menos entusiastas a se apressar na base de cotoveladas.

Uma brisa morna, que não conseguia agitar as alfarrobeiras secas nem nossos cabelos, levava de um lado para o outro a areia que cobria boa parte do chão calcinado do Malecón. Tinham reagido bem. Diante de nós — Lu, Javier, Raygada e eu —, que dávamos as costas para a mureta e os intermináveis areais que começavam na margem contrária do leito, uma multidão compacta, estendida ao longo de toda a quadra, permanecia calma, embora às vezes, isoladamente, se ouvissem gritos estridentes.

— Quem vai falar? — perguntou Javier.

— Eu — propôs Lu, já preparado para pular em cima da mureta.

— Não — disse eu. — Fale você, Javier.

Lu se conteve e olhou para mim, mas não estava zangado.

— Está bem — disse; e acrescentou, encolhendo os ombros: — Tanto faz!

Javier subiu. Com uma das mãos se apoiava em uma árvore torta e ressecada e com a outra agarrava o meu pescoço. Por entre suas pernas, agitadas por um leve tremor que desaparecia à medida que o tom da sua voz ia ficando convincente e enérgico, eu via o leito do rio seco e tórrido e pensava em Lu e nos coiotes. Um segundo fora o suficiente para que ele me tomasse o primeiro lugar; agora tinha o comando e todos o admiravam, logo ele, um ratinho amarelado que seis meses antes implorava a minha autorização para entrar no grupo. Um descuido infinitamente pequeno, e depois o sangue, escorrendo caudaloso pelo meu rosto e meu pescoço, os meus braços e pernas imobilizados sob a claridade lunar, incapazes de responder aos seus punhos.

— Ganhei — disse ele, resfolegando. — Agora sou o chefe. Combinamos isso.

Nenhuma das sombras estendidas em círculo na areia fofa se mexeu. Só os sapos e os grilos respondiam a Lu, que me xingava. Ainda deitado no chão morno, atinei a gritar:

— Eu saio do grupo. Vou formar outro, muito melhor.

Mas eu e Lu e os coiotes que continuavam escondidos na sombra sabíamos que não era verdade.

— Eu também saio — disse Javier.

Ele me ajudava a levantar. Voltamos à cidade e, enquanto andávamos pelas ruas vazias, eu ia limpando o sangue e as lágrimas com o lenço de Javier.

— Fale você agora — disse Javier. Tinha descido e alguns o aplaudiam.

— Certo — respondi e subi na mureta.

Nem as paredes do fundo, nem os corpos dos meus colegas tinham sombra. Minhas mãos estavam úmidas e pensei que eram os nervos, mas era o calor. O sol brilhava no centro do céu e nos sufocava. Os olhos dos meus colegas não atingiam os meus: olhavam para o chão e para os meus joelhos. Guardavam silêncio. O sol me protegia.

— Vamos pedir ao diretor que marque o horário das provas como nos outros anos. Raygada, Javier, Lu e eu formamos a comissão. O ginásio concorda, não é mesmo?

A maioria concordou, mexendo a cabeça. Uns poucos gritaram: "Sim, sim."

— Vamos agora mesmo — disse. — Vocês nos esperam na praça Merino.

Começamos a andar. A porta principal do colégio estava fechada. Batemos com força; às nossas costas ouvíamos um murmúrio crescente. O inspetor Gallardo abriu.

— Estão loucos? — disse. — Não façam isso.

— Não se meta — Lu o interrompeu. — Pensa que o serrano nos mete medo?

— Entrem — disse Gallardo. — Vocês vão ver.

## III

Seus olhinhos nos observavam minuciosamente. Queria aparentar sarcasmo e despreocupação, mas não ignorávamos que seu sorriso era forçado e que no fundo daquele corpo rechonchudo havia temor e ódio. Franzia e relaxava a fisionomia, o suor brotava aos borbotões das suas pequenas mãos roxas.

Estava trêmulo:

— Vocês sabem como se chama isto? Chama-se rebelião, insurreição. Pensam que vou me submeter aos caprichos de uns desocupados? Eu esmago as insolências...

Baixava e aumentava a voz. Via-se que estava fazendo um esforço para não gritar. "Por que não explode de uma vez?", pensei. "Covarde!"

Tinha se levantado. Uma mancha cinza flutuava em volta das suas mãos, apoiadas no vidro da escrivaninha. De repente sua voz subiu, tornou-se áspera:

— Fora! Quem mencionar de novo as provas será castigado.

Antes que Javier ou eu pudéssemos fazer qualquer sinal, surgiu o verdadeiro Lu, o dos assaltos noturnos aos casebres da Tablada, o dos combates contra as *raposas* nas dunas.

— Senhor diretor...

Não me virei para olhá-lo. Seus olhos oblíquos deviam estar expelindo fogo e violência, como quando lutamos no leito seco do rio. Agora sua boca cheia de baba também devia estar muito aberta, mostrando seus dentes amarelos.

— Nós também não podemos nos ferrar só porque o senhor não quer marcar horários. Por que quer que todos nós tiremos notas baixas? Por quê...?

Ferrufino tinha se aproximado. Quase tocava nele com seu corpo. Lu, pálido, apavorado, continuava falando:

— ...já estamos cansados...

— Cale-se!

O diretor tinha levantado os braços, espremia algo nos punhos.

— Cale-se! — repetiu com ira. — Cale-se, animal! Como se atreve!

Lu já estava calado, mas olhava dentro dos olhos de Ferrufino como se fosse pular subitamente no seu pescoço: "São iguais", pensei. "Duas feras."

— Quer dizer que você aprendeu com este aqui.

Seu dedo apontava para a minha testa. Mordi o lábio: logo senti que um fiozinho quente percorria a minha língua e isso me acalmou.

— Fora! — gritou de novo. — Fora daqui! Vocês vão se arrepender.

Saímos. Uma multidão imóvel e ofegante se estendia até o pé dos degraus que ligavam o Colégio San Miguel com a praça Merino. Nossos colegas tinham invadido os pequenos jardins e o chafariz; estavam silenciosos e angustiados. Estranhamente, no meio da mancha clara e estática apareciam clareiras, diminutos retângulos em que ninguém pisava. As cabeças pareciam iguais, uniformes, como na formação para o desfile. Atravessamos a praça. Ninguém nos perguntou nada; eles se afastavam para um lado, dando-nos passagem e apertando os lábios. Até pisarmos na avenida, todos permaneceram nos seus lugares. Depois, obedecendo a uma ordem que ninguém tinha dado, seguiram atrás de nós, num passo descompassado, como se estivessem indo para as aulas.

O pavimento fervia, parecia um espelho que o sol ia dissolvendo. "Será verdade?", pensei. Numa noite quente e deserta tinham me contado, nesta mesma avenida, e não acreditei. Mas os jornais diziam que o sol, em certos lugares afastados, enlouquecia os homens e às vezes os matava.

— Javier — perguntei. — Você viu o ovo se fritar sozinho, no asfalto?

Surpreso, balançou a cabeça.

— Não. Mas me contaram.

— Será verdade?

— Talvez. Agora poderíamos tirar a prova. O chão está queimando, parece um braseiro.

Na porta do La Reina apareceu Alberto. Seu cabelo louro brilhava lindamente: parecia de ouro. Acenou com a mão direita, cordial. Os enormes olhos verdes estavam muito abertos, e ele sorria. Devia estar curioso para saber aonde ia essa multidão uniformizada e silenciosa, naquele rude calor.

— Você vem depois? — gritou para mim.

— Não posso. À noite a gente se vê.

— É um imbecil — disse Javier. — Um bêbado.

— Não — afirmei. — É meu amigo. É um bom rapaz.

## IV

— Deixe-me falar, Lu — pedi, tentando ser suave.

Mas ninguém podia mais contê-lo. Estava em cima da mureta, sob os ramos da alfarrobeira seca: mantinha o equilíbrio admiravelmente e sua pele e seu rosto faziam pensar num lagarto.

— Não! — disse agressivamente. — Sou eu que vou falar.

Fiz um sinal para Javier. Fomos até Lu e agarramos suas pernas. Mas ele conseguiu se prender na árvore a tempo e safar a perna direita dos meus braços; empurrado por um forte pontapé no ombro dei três passos atrás e vi Javier enlaçando velozmente Lu pelos joelhos, levantando o rosto e desafiando-o com seus olhos que o sol feria com fúria.

— Não bata! — gritei. Ele se conteve, trêmulo, enquanto Lu começava a berrar:

— Não ouviram o que o diretor disse? Ele nos xingou e nos tratou como animais. Não está disposto a marcar os horários porque quer nos ferrar. Vai sacanear todo o colégio e não liga. É um...

Estávamos ocupando o mesmo lugar que antes e as filas tortas de rapazes começavam a ondular. Quase todo o ginásio continuava ali. Com o calor e com cada palavra de Lu crescia a indignação dos alunos. Estavam inflamados.

— Sabemos que ele nos odeia. Não nos entendemos. Desde que chegou, o colégio não é mais um colégio. Xinga, bate. Ainda por cima quer nos ferrar nas provas.

Uma voz aguda e anônima interrompeu-o:

— Ele bateu em quem?

Lu hesitou um instante. Explodiu de novo:

— Em quem? — desafiou. — Arévalo, que todos vejam as suas costas!

Entre murmúrios, Arévalo apareceu no centro da massa. Estava pálido. Era um coiote. Foi até onde estava Lu e mostrou o peito e as costas. Na altura das costelas, via-se um grosso lanho vermelho.

— Isto é Ferrufino! — a mão de Lu mostrava a marca enquanto seus olhos perscrutavam os rostos atônitos dos mais próximos. Tumultuadamente, o mar humano se apertou em volta de nós; todos forçavam para chegar perto de Arévalo e ninguém mais ouvia Lu, nem Javier e Raygada que pediam calma, nem a mim que gritava: "É mentira!, não acreditem!, é mentira!" A maré me afastou da mureta e de Lu. Estava quase sufocado. Consegui abrir passagem e sair do tumulto. Afrouxei a gravata e respirei com a boca aberta e os braços no alto, lentamente, até sentir que meu coração recuperava o ritmo.

Raygada estava ao meu lado. Indignado, perguntou:
— Quando aconteceu isso com Arévalo?
— Nunca.
— Como assim?

Até ele, sempre calmo, tinha sido conquistado. Suas narinas palpitavam com vivacidade e tinha os punhos apertados.

— Nada — disse eu —, não sei quando aconteceu.

Lu esperou que a excitação amainasse um pouco. Depois, erguendo a voz acima dos protestos dispersos:

— Ferrufino vai nos vencer? — perguntou aos gritos; seu punho colérico ameaçava os alunos. — Vai nos vencer? Respondam!

— Não! — prorromperam quinhentos ou mais. — Não! Não!

Trêmulo com o esforço que seus berros lhe exigiam, Lu se balançava vitorioso sobre a mureta.

— Que ninguém entre no colégio até que marquem os horários das provas. É justo. Temos direito. E também não deixaremos o primário entrar.

Sua voz agressiva perdeu-se entre os gritos. À minha frente, na massa apinhada de braços que sacudiam jubilosamente centenas de boinas no ar, não distingui um só aluno que parecesse indiferente ou hostil.

— O que fazemos?

Javier queria demonstrar tranquilidade, mas suas pupilas brilhavam.

— Está bem — disse eu. — Lu tem razão. Vamos ajudá-lo.

Corri para a mureta e subi.

— Avisem aos alunos do primário que não há aulas hoje à tarde — disse. — Podem ir agora. Só fiquem os do quinto e os do quarto para cercar o colégio.

— E também os coiotes — concluiu Lu, feliz.

## V

— Estou com fome — disse Javier.

O calor tinha diminuído. No único banco utilizável da praça Merino recebíamos os raios de sol, filtrados facilmente através de umas nuvens gasosas que haviam aparecido no céu, mas quase nenhum de nós suava.

León esfregava as mãos e sorria: estava inquieto.

— Não trema — disse Amaya. — Você já está grandinho para ter medo de Ferrufino.

— Cuidado! — a cara de macaco de León estava vermelha e seu queixo apontava para a frente. — Tome cuidado, Amaya! — tinha se levantado.

— Não briguem — disse Raygada tranquilamente. — Ninguém está com medo. Seria imbecil.

— Vamos dar uma volta por trás — propus a Javier.

Rodeamos o colégio, andando pelo meio da rua. As janelas altas estavam entreabertas e não se via ninguém atrás delas, nem se ouvia qualquer ruído.

— Estão almoçando — disse Javier.

— É mesmo.

Na calçada oposta ficava a porta principal do Salesiano. Os semi-internos tinham tomado posição no teto, para nos observar. Sem dúvida estavam a par.

— Que rapazes valentes! — zombou alguém.

Javier xingou-os. Responderam com uma chuva de ameaças. Alguns cuspiram, mas sem acertar. Houve risos. "Estão morrendo de inveja", murmurou Javier.

Na esquina vimos Lu. Estava sentado na calçada, sozinho, olhando distraído para a rua. Ele nos viu e veio em nossa direção. Parecia contente.

— Apareceram dois guris do primeiro ano — disse. — Mandamos que fossem brincar no rio.

— Ah, sim? — disse Javier. — Espere meia hora para ver. Vai começar um grande escândalo.

Lu e os coiotes vigiavam a porta dos fundos do colégio. Estavam divididos entre as esquinas das ruas Lima e Arequipa. Quando chegamos à entrada do beco, conversavam em roda e davam risadas. Todos tinham paus e pedras nas mãos.

— Assim não — disse eu. — Se vocês baterem neles, os garotos vão querer entrar do jeito que for.

Lu riu.

— Eles vão ver. Por esta porta ninguém entra.

Também tinha um porrete que até então escondera com o corpo. Mostrou, balançando-o.

— E por lá? — perguntou.

— Nada, ainda.

Às nossas costas alguém gritava os nossos nomes. Era Raygada: vinha correndo e nos chamava agitando a mão freneticamente. "Já estão chegando, estão chegando" — disse, com ansiedade. — "Venham." Parou subitamente dez metros antes de nos alcançar. Deu meia-volta e retornou correndo. Estava excitadíssimo. Javier e eu também corremos. Lu gritou alguma coisa sobre o rio. "O rio?", pensei. "Não existe. Por que todo mundo fala de rio se só tem água um mês por ano?" Javier corria ao meu lado, ofegante.

— Vamos conseguir pará-los?

— O quê? — abria a boca com dificuldade, porque falar cansava mais.

— Conseguiremos parar o primário?

— Acho que sim. Tudo depende.

— Olhe.

No centro da praça, junto ao chafariz, León, Amaya e Raygada conversavam com um grupo de pequenos, cinco ou seis. A situação parecia calma.

— Repito — dizia Raygada, com a língua de fora.
— Vão para o rio. Hoje não tem aula, não tem aula. Está claro? Ou querem que passe um filme?

— Isso mesmo — disse um, de nariz em pé. — Que seja colorido.

— Olhem — eu ponderei. — Hoje ninguém entra no colégio. Vamos para o rio. Podemos jogar futebol: primário contra o ginásio. De acordo?

— Rá, rá — riu o de nariz em pé, com suficiência. — Nós ganhamos. Somos mais.

— Veremos. Vão andando para lá.

— Não quero — respondeu uma voz abusada. — Eu vou ao colégio.

Era um garoto do quarto ano, magro e pálido. Seu pescoço comprido emergia como um cabo de vassoura da camisa militar, larga demais para ele. Era o aluno-monitor. Inquieto com a própria audácia, deu uns passos para trás. León correu e pegou-o por um braço.

— Você não entendeu? — tinha aproximado o rosto da cara do menino e gritava com ele. Por que diabo se assustava León? — Não entendeu, guri? Não entra ninguém. Vamos embora, ande logo.

— Não o empurre — disse eu. — Ele vai sozinho.

— Não vou não! — gritou. Havia erguido o rosto na direção de León, olhava-o com raiva. — Eu não vou! Não quero fazer greve.

— Cale-se, imbecil! Quem quer greve? — León parecia nervoso. Apertava o braço do monitor com toda a força. Seus colegas observavam a cena, divertidos.

— Podem nos expulsar! — o garoto se dirigia aos pequenos, parecia atemorizado e colérico. — Eles querem fazer greve porque não marcam os horários, vão dar as provas de repente, sem avisar quando. Pensam que não sei? Podem nos expulsar! Vamos para o colégio, garotos.

Houve um movimento de surpresa entre os meninos. Agora se entreolhavam sem sorrir, enquanto o outro continuava gritando que iam nos expulsar. Estava chorando.

— Não batam nele! — gritei, muito tarde. León lhe dera um soco na cara, não muito forte, mas o menino ficou esperneando e gritando.

— Parece um cabrito — observou alguém.

Olhei para Javier. Já estava correndo. Levantou o monitor e jogou-o nos ombros como um fardo. Afastou-se com ele. Vários o seguiram, rindo às gargalhadas.

— Para o rio! — gritou Raygada. Javier tinha ouvido, porque o vimos virar com sua carga pela avenida Sánchez Cerro, rumo ao Malecón.

O grupo que nos rodeava ia crescendo. Alguns sentados nos muros de tijolos e nos bancos quebrados, outros andando entediados pelos pequenos caminhos asfaltados do parque, ninguém, felizmente, tentava entrar no colégio. Divididos em duplas, os dez encarregados de controlar a porta principal tentávamos entusiasmá-los: "Eles têm que marcar os horários, senão nós nos ferramos. E vocês também, quando for a sua vez."

— Continuam chegando — disse Raygada. — Nós somos poucos. Podem nos arrasar, se quiserem.

— Se os distrairmos durante dez minutos, está resolvido — disse León. — O pessoal do ginásio está para chegar e então podemos empurrá-los para o rio a pontapés.

De repente um menino gritou, convulsionado:

— Têm razão! Eles têm razão! — e dirigindo-se a nós, com ar dramático: — Estou com vocês.

— Boa! Muito bem! — aplaudimos. — Você é que é homem. — Demos tapinhas em suas costas e o abraçamos.

O exemplo se espraiou. Alguém deu um grito: "Eu também. Vocês têm razão." Começaram a discutir entre si. Nós incentivávamos os mais excitados, elogiando-os: "Muito bem, garoto. Você não é nenhum veado."

Raygada se aboletou no chafariz. Segurava a boina na mão direita e a agitava, suavemente.

— Vamos entrar em acordo — exclamou. — Todos unidos?

Eles o cercaram. Continuavam chegando grupos de alunos, alguns do quinto ginásio; junto com eles formamos uma muralha, entre o chafariz e a porta do colégio, enquanto Raygada falava.

— Isto se chama solidariedade — dizia. — Solidariedade — calou-se como se houvesse terminado, mas um segundo depois abriu os braços e proclamou: — Não vamos deixar que se cometa um abuso!

Foi aplaudido.

— Vamos para o rio — disse. — Todos.

— Certo. Vocês também.

— Nós vamos depois.

— Todos juntos ou ninguém — respondeu a mesma voz. Ninguém se mexeu.

Javier estava de volta. Vinha só.

— Eles estão tranquilos — disse. — Roubaram o burro de uma mulher. Não param de brincar.

— Que horas são? — perguntou León. — Digam-me, que horas são.

Eram duas.

— Às duas e meia vamos embora — disse eu. — Basta deixar um para avisar os retardatários.

Os que iam chegando imergiam na massa de meninos. Deixavam-se convencer rapidamente.

— É perigoso — disse Javier. Falava de um jeito estranho: estaria com medo? — É perigoso. Já sabem o que vai acontecer se o diretor resolver sair. Antes que diga uma só palavra, vamos estar todos nas salas.

— Sim — disse. — Que comecem a sair. Precisamos animá-los.

Mas ninguém queria se mexer. Havia tensão, esperava-se que alguma coisa acontecesse de um momento para o outro. León estava ao meu lado.

— O pessoal do ginásio cumpriu a palavra — disse. — Olhe bem. Só vieram os encarregados das portas.

Um instante depois, vimos chegar os alunos do ginásio, em grandes grupos que se misturavam com as ondas de meninos. Faziam pilhérias. Javier ficou furioso:

— E vocês? — disse. — O que estão fazendo aqui? Para que vieram?

Dirigia-se aos que estavam mais perto de nós, à frente deles vinha Antenor, aluno-monitor do segundo ginásio.

— Ora! — Antenor parecia muito surpreso. — Por acaso vamos entrar? Viemos ajudá-los.

Javier pulou para cima dele, agarrou-o pelo pescoço.

— Ajudar-nos! E esses uniformes? E os livros?

— Cale a boca — disse eu. — Solte-o. Nada de brigas. Dez minutos, e depois vamos para o rio. Quase todo o colégio já chegou.

A praça estava completamente lotada. Os estudantes permaneciam tranquilos, sem discutir. Alguns fumavam. Pela avenida Sánchez Cerro circulavam muitos carros, que diminuíam a velocidade ao passar pela praça Merino. De um caminhão, um homem nos incentivou gritando:

— Boa, rapazes. Não se entreguem.

— Viu? — disse Javier. — Toda a cidade está sabendo. Você imagina a cara de Ferrufino?

— São duas e meia! — gritou León. — Vamos. Rápido, rápido.

Olhei o meu relógio: faltavam cinco minutos.

— Vamos — gritei. — Todos para o rio.

Alguns fizeram menção de se mexer. Javier, León, Raygada e vários outros também gritaram, começaram a empurrar aqui e ali. Uma palavra era repetida sem parar: "Rio, rio, rio."

Lentamente, a multidão de garotos começou a ficar agitada. Paramos de instigá-los e, quando nos calamos, me surpreendi, pela segunda vez no dia, com um silêncio total. Aquilo me deixava nervoso. Então o rompi:

— O pessoal do ginásio, atrás — indiquei. — Para trás, formando fila...

Ao meu lado, alguém jogou no chão uma casquinha de sorvete, que salpicou nos meus sapatos. Entrelaçando os braços, formamos um cinturão humano. Avançávamos a duras penas. Ninguém desistia, mas a marcha era muito lenta.

Uma cabeça ia quase afundada no meu peito. Virou-se: como se chamava? Seus olhos pequenos eram cordiais.

— Seu pai vai matar você — disse.

"Ah", pensei. "Meu vizinho."

— Não — disse eu. — Enfim, vamos ver. Empurre.

Tínhamos saído da praça. A grossa coluna ocupava toda a largura da avenida. Acima das cabeças sem boinas, duas quadras mais à frente, viam-se a mureta verde-amarela e as grandes alfarrobeiras do Malecón. Entre elas, como pontinhos brancos, os areais.

O primeiro a ouvir foi Javier, que marchava ao meu lado. Havia inquietação nos seus estreitos olhos escuros.

— O que foi? — perguntei. — Diga.

Balançou a cabeça.

— O que foi? — gritei. — O que está ouvindo?

Nesse instante vi um rapaz de uniforme que atravessava velozmente a praça Merino e vinha em nossa direção. Os gritos do recém-chegado se confundiram em meus ouvidos com a violenta gritaria que se desatou nas colunas compactas de meninos, junto com um movimento de tumulto. Nós que marchávamos na última fileira não entendemos nada. Tivemos um segundo de desconcerto: afrouxamos os braços, alguns se soltaram. Sentimo-nos jogados para trás, separados uns dos outros. Passavam centenas de corpos por nós, correndo e berrando histericamente. "O que houve?", gritei para León. Apontou alguma coisa com o dedo, sem parar de correr. "É Lu", disseram em meu ouvido. "Alguma coisa aconteceu lá. Dizem que houve confusão." Saí correndo.

Na esquina que se abria a poucos metros da porta traseira do colégio, parei. Nesse momento era impossível ver: ondas de uniformes afluíam de todos os lados e enchiam a rua de gritos e cabeças descobertas. De repente, a quinze passos, encarapitado em cima de alguma coisa, divisei Lu. Seu corpo magro se destacava nitidamente na penumbra do muro em que se apoiava. Estava encurralado e descia seu porrete para todos os lados. Então, em meio ao ruído, mais poderosa que a daqueles que o insultavam e recuavam para evitar os golpes, ouvi sua voz:

— Quem chega perto? — gritava. — Quem chega perto?

Quatro metros à frente, dois coiotes, também cercados, defendiam-se a pauladas e faziam esforços desesperados para romper o bloqueio e juntar-se com Lu. Entre os que o acossavam, vi rostos do ginásio. Alguns tinham arranjado pedras e as jogavam, mas sem se aproximar dele. Ao longe vi outros dois da nossa turma, que corriam espavoridos: um grupo de garotos os perseguia com paus.

— Calma! Calma! Vamos para o rio.

Uma voz nascia ao meu lado, angustiadamente. Era Raygada. Parecia prestes a chorar.

— Não seja idiota — disse Javier. Ria às gargalhadas.

— Cale-se, não está vendo?

A porta estava aberta e por ela os estudantes entravam às dúzias, avidamente. Continuavam chegando outros alunos à esquina, alguns se somavam ao grupo que cercava Lu e os seus. Tinham conseguido juntar-se. Lu estava com a camisa aberta, mostrando seu peito magro e imberbe, suado e brilhante; um fiozinho de sangue lhe escorria do nariz e dos lábios. Cuspia de vez em quando e olhava com ódio para os que estavam mais próximos. Só ele conservava o porrete levantado, disposto a usá-lo. Os outros tinham baixado os seus, exaustos.

— Quem chega perto? Quero ver a cara desse valente.

À medida que entravam no colégio, iam colocando de qualquer maneira as boinas e as insígnias do ano. Aos poucos começou a dissolver-se, dizendo palavrões, o grupo que cercava Lu. Raygada me deu uma cotovelada:

— Ele tinha dito que com a sua turma podia derrotar o colégio inteiro — falava com tristeza. — Por que deixamos este animal sozinho?

Raygada se afastou. Já na porta ainda nos fez um gesto, parecendo hesitar. Depois entrou. Javier e eu nos aproximamos de Lu. Estava tremendo de raiva.

— Por que não vieram? — disse, frenético, levantando a voz. — Por que não vieram nos ajudar? Éramos só oito, porque os outros...

Tinha uma vista extraordinária e era flexível como um gato. Virou-se velozmente para trás, enquanto meu soco apenas roçava na sua orelha e depois, com o apoio de todo o corpo, fez o porrete dar uma curva no ar. Recebi o impacto no peito e cambaleei. Javier se interpôs.

— Aqui não — disse. — Vamos para o Malecón.

— Certo — disse Lu. — Vou lhe ensinar outra vez.

— Veremos — disse eu. — Podemos ir.

Caminhamos meia quadra, devagar, porque minhas pernas ainda vacilavam. Na esquina León nos alcançou.

— Não briguem — disse. — Não vale a pena. Vamos para o colégio. Temos que ficar unidos.

Lu me encarava com os olhos semicerrados. Parecia pouco à vontade.

— Por que bateu nos moleques? — perguntei. — Sabe o que vai acontecer agora com nós dois?

Não respondeu nem fez qualquer gesto. Tinha se acalmado totalmente e estava com a cabeça baixa.

— Responda, Lu — insisti. — Sabe?

— Muito bem — disse León. — Vamos tentar ajudá-los. Apertem as mãos.

Lu levantou o rosto e me olhou, com pena. Ao sentir sua mão entre as minhas, achei-a suave e delicada e lembrei que era a primeira vez que nos cumprimentávamos assim. Demos meia-volta, caminhamos em fila até o colégio. Senti um braço no ombro. Era Javier.

# O desafio

Estávamos tomando cerveja, como todos os sábados, quando Leonidas apareceu na porta do Rio Bar; notamos logo no seu rosto que alguma coisa estava acontecendo.
— O que foi? — perguntou León.
Leonidas puxou uma cadeira e sentou-se conosco.
— Estou morrendo de sede.
Servi um copo até a borda e a espuma transbordou na mesa. Leonidas soprou lentamente e ficou olhando, pensativo, como as bolhas estouravam. Depois bebeu até a última gota, num gole só.
— O Justo vai brigar esta noite — disse, com uma voz estranha.
Ficamos calados por um momento. León bebeu, Briceño acendeu um cigarro.
— Pediu para avisá-los — continuou Leonidas. — Quer que vocês vão.
Afinal, Briceño perguntou:
— Como foi?
— Eles se encontraram esta tarde em Catacaos — Leonidas limpou a testa com a mão e fustigou o ar: umas gotas de suor escorregaram dos seus dedos para o chão. — Podem imaginar o resto...
— Bem — disse León. — Se têm que brigar, é melhor que seja assim, com todas as regras. Também não precisa se apavorar. Justo sabe o que faz.
— É — repetiu Leonidas, com um ar abstraído. — Talvez seja melhor assim.
As garrafas se esvaziaram. Soprava uma brisa e, momentos antes, tínhamos parado de ouvir a banda do Quartel

Grau que tocava na praça. A ponte estava coberta de gente que voltava da retreta, e os casais que tinham buscado a penumbra do Malecón também começavam a deixar seus esconderijos. Pela porta do Rio Bar passava muita gente. Alguns entravam. A varanda logo ficou cheia de homens e mulheres falando em voz alta e rindo.

— São quase nove — disse León. — É melhor irmos embora.

Saímos.

— Bem, rapazes — disse Leonidas. — Obrigado pela cerveja.

— Vai ser na Balsa, não é? — perguntou Briceño.

— É. Às onze. Justo vem encontrar vocês às dez e meia, aqui mesmo.

O velho fez um gesto de despedida e se afastou pela avenida Castilla. Morava nos arredores, no começo do areal, num casebre solitário que parecia vigiar a cidade. Fomos até a praça. Estava quase deserta. Em frente ao hotel dos turistas, alguns jovens discutiam em voz alta. Ao passar ao seu lado, vimos no meio deles uma garota que escutava sorrindo. Era bonita e parecia estar se divertindo.

— O Manco vai matá-lo — disse Briceño, de repente.

— Cale a boca — disse León.

Nós nos separamos na esquina da igreja. Andei rapidamente até a minha casa. Não havia ninguém. Vesti um macacão e dois pulôveres e escondi a navalha no bolso de trás da calça, enrolada no lenço. Quando estava saindo, encontrei minha mulher que chegava.

— Outra vez para a rua? — perguntou.

— Sim. Tenho que resolver um assunto.

O menino estava dormindo nos braços dela e me deu a impressão de que tinha morrido.

— Você precisa levantar cedo — insistiu. — Esqueceu que trabalha aos domingos?

— Não se preocupe — respondi. — Volto em uns minutos.

Voltei para o Rio Bar e me sentei ao balcão. Pedi uma cerveja e um sanduíche, que não terminei; tinha perdido o apetite. Alguém tocou no meu ombro. Era Moisés, o dono do lugar.

— Vão mesmo lutar?

— Vão. Na Balsa. É bom você ficar de bico calado.

— Não precisa me avisar — disse. — Eu soube agora mesmo. Sinto muito por Justo, mas, na verdade, ele está procurando faz tempo. E o Manco não tem muita paciência, todo mundo sabe.

— O Manco é um cara nojento.

— Era seu amigo antes... — Moisés começou a dizer, mas se conteve.

Alguém chamou-o na varanda e ele se afastou. Poucos minutos depois estava de novo ao meu lado.

— Quer que eu vá? — perguntou.

— Não. Já somos suficientes, obrigado.

— Está bem. Avise se eu puder ajudar em alguma coisa. Justo também é meu amigo — bebeu um gole da minha cerveja, sem pedir. — Ontem à noite o Manco esteve aqui com a turma dele. Não parou de falar do Justo e jurava que ia cortá-lo em pedacinhos. Fiquei rezando para vocês nem pensarem em dar uma passada por aqui.

— Eu gostaria de ter visto o Manco — disse. — Quando está furioso fica com a cara muito engraçada.

Moisés riu.

— Ontem à noite parecia o diabo. E é tão feio, esse cara. Ninguém aguenta olhar muito para ele sem sentir náuseas.

Terminei a cerveja e fui andar pelo Malecón, mas voltei logo. Da porta do Rio Bar vi Justo, sozinho, sentado no terraço. Estava com umas sapatilhas de borracha e um pulôver desbotado que subia pelo pescoço até as orelhas. Visto de perfil, contra a escuridão de fora, parecia um menino, uma mulher: deste lado, suas feições eram delicadas, doces. Ao ouvir os meus passos ele se virou, expondo aos meus olhos a mancha roxa que feria a outra metade do seu rosto, da comissura dos lábios até a testa. (Alguns diziam que tinha sido uma pancada que recebeu quando era pequeno, numa briga, mas Leonidas dizia que ele nasceu no dia da inundação e que essa mancha era o susto da mãe ao ver a água avançar até a porta da casa.)

— Acabei de chegar — disse. — E os outros?

— Já vêm. Devem estar a caminho.

Justo me olhou de frente. Achei que ia sorrir, mas ficou muito sério e virou a cabeça.

— Como foi esta tarde?

Ele encolheu os ombros e fez um gesto vago.

— Nós nos encontramos no Carro Afundado. Eu estava entrando para beber alguma coisa e topei com o Manco e o pessoal dele. Dá para imaginar? Se o padre não passasse, eles me degolavam na hora. Pularam para cima de mim feito cachorros. Feito cachorros raivosos. O padre nos separou.

— Você é muito homem? — gritou o Manco.

— Mais do que você — gritou Justo.

— Quietos, seus animais — dizia o padre.

— Na Balsa esta noite, então? — gritou o Manco.

— Certo — disse Justo. — E assim foi.

Havia menos gente no Rio Bar. Ainda restavam algumas pessoas no balcão, mas na varanda só estávamos nós.

— Eu trouxe isto — disse, entregando-lhe o lenço.

Justo abriu a navalha e mediu-a. A lâmina tinha exatamente o tamanho da sua mão, do pulso até as unhas. Depois tirou outra navalha do bolso e comparou.

— São iguais — disse. — Vou ficar com a minha, então.

Pediu uma cerveja e a bebemos sem dizer nada, fumando.

— Não tenho relógio — disse Justo. — Mas devem ser mais de dez. Vamos lá.

Na altura da ponte nos encontramos com Briceño e León. Cumprimentaram Justo, apertaram a sua mão.

— Irmãozinho — disse León. — Você vai fazer picadinho dele.

— Nem se fala — disse Briceño. — O Manco não tem como enfrentar você.

Os dois estavam com as mesmas roupas de antes e pareciam ter combinado demonstrar segurança e, mesmo, certa alegria na frente de Justo.

— Vamos descer por aqui — disse León. — É mais perto.

— Não — disse Justo. — Vamos dar a volta. Não estou disposto a quebrar uma perna agora.

Era estranho esse temor, porque sempre tínhamos descido até o leito do rio pulando pela malha de ferros que sustenta a ponte. Avançamos um quarteirão pela avenida, depois dobramos à direita e andamos um bom tempo em silêncio. Ao descer pelo minúsculo caminho rumo ao leito do rio, Briceño tropeçou e soltou uma praga. A areia estava morna e os nossos pés afundavam, como se estivéssemos num mar de algodão. León observou o céu atentamente.

— Há muitas nuvens — disse —; a lua não vai ajudar muito esta noite.

— Podemos fazer fogueiras — disse Justo.

— Está doido? — falou. — Quer que a polícia apareça?

— Sempre há um jeito — disse Briceño, sem convicção. — Podemos adiar esse negócio até amanhã. Não vão brigar na escuridão.

Ninguém respondeu e Briceño não insistiu mais.

— Ali está a Balsa — disse León.

Um dia, ninguém sabia quando, caiu no rio um tronco de alfarrobeira tão enorme que cobria três quartos da largura do leito. Era muito pesado e a água, quando baixava, não conseguia levá-lo, só o arrastava alguns metros, de modo que todo ano a Balsa se afastava um pouco mais da cidade. Ninguém sabia tampouco quem lhe dera o nome de Balsa, mas era assim que todos o chamavam.

— Eles já estão lá — disse León.

Paramos uns cinco metros antes da Balsa. No tênue resplendor noturno não distinguíamos as caras dos que nos esperavam, só suas silhuetas. Eram cinco. Contei-as, tentando inutilmente descobrir o Manco.

— Vá você — disse Justo.

Avancei devagar até o tronco, tentando fazer com que meu rosto mantivesse uma expressão serena.

— Quieto! — gritou alguém. — Quem é?

— Julián — gritei. — Julián Huertas. Estão cegos?

Um pequeno vulto veio ao meu encontro. Era o Chalupas.

— Já estávamos indo embora — disse ele. — Pensamos que o Justito tinha ido à delegacia pedir proteção.

— Quero me entender com um homem — gritei, sem responder. — Não com este boneco.

— Você é muito valente? — perguntou o Chalupas, com a voz alterada.

— Silêncio! — disse o Manco. Todos eles tinham se aproximado e o Manco avançou em minha direção. Era alto, muito mais do que todos os presentes. Na penumbra eu não podia ver, só imaginar o seu rosto encouraçado pelas espinhas, os buracos diminutos dos olhos, fundos e breves como dois pontos dentro daquela massa de carne interrompida pelos volumes oblongos dos pômulos, e seus lábios grossos como dedos, pendurados em um queixo triangular de iguana. O Manco puxava o pé esquerdo; diziam que nessa perna tinha uma cicatriz em forma de cruz, lembrança de um porco que o mordeu enquanto dormia, mas ninguém a vira.

— Por que trouxeram o Leonidas? — disse o Manco, com a voz rouca.

— Leonidas? Quem trouxe o Leonidas?

O Manco apontou o dedo para um lado. O velho estava alguns metros mais à frente, na areia, e quando ouviu que mencionavam o seu nome se aproximou.

— O que há comigo? — disse. Olhava fixamente para o Manco. — Não preciso que ninguém me traga. Vim sozinho, com os meus pés, porque me deu vontade. Se está procurando um pretexto para não brigar, diga logo.

O Manco vacilou antes de responder. Pensei que ia xingá-lo e, rápido, levei a mão ao bolso traseiro.

— Não se meta, velho — disse o Manco gentilmente.

— Não vou brigar com você.

— Não pense que estou tão velho — disse Leonidas. — Derrubei muitos que eram melhores que você.

— Está bem, velho — disse o Manco. — Acredito — dirigiu-se a mim: — Estão prontos?

— Estamos. Diga aos seus amigos que não se metam. Se entrarem, pior para eles.

O Manco riu.

— Você sabe muito bem, Julián, que eu não preciso de reforços. Principalmente hoje. Não se preocupe.

Um dos caras que estavam atrás do Manco também riu. O Manco me entregou uma coisa. Estendi a mão: a lâmina da sua navalha estava aberta e eu a pegara pelo fio; senti um pequeno arranhão na palma e um estremecimento, o metal parecia um pedaço de gelo.

— Tem fósforos, velho?

Leonidas acendeu um fósforo e o manteve entre os dedos até que a chama lambeu suas unhas. Com a frágil luz da chama examinei minuciosamente a navalha, medi-a em todos os sentidos, verifiquei seu fio e seu peso.

— Está bem — disse.

— Chunga — disse o Manco. — Vá com ele.

Chunga caminhou entre Leonidas e mim. Quando chegamos aonde os outros esperavam, Briceño estava fumando e cada vez que aspirava resplandeciam por um instante os rostos de Justo, impassível, com os lábios apertados, de León, mastigando alguma coisa, talvez um fiapo de capim, e do próprio Briceño, que suava.

— Quem lhe disse para vir? — perguntou Justo, severamente.

— Ninguém me disse — afirmou Leonidas, em voz alta. — Vim porque quis. Tenho que dar satisfação?

Justo não respondeu. Fiz um sinal indicando o Chunga, que tinha ficado um pouco para trás. Justo sacou a navalha e jogou-a. A arma caiu em algum ponto do corpo de Chunga e este se encolheu.

— Desculpe — falei, apalpando a areia em busca da navalha. — Escapou. Tome.

— Essas gracinhas vão acabar logo — disse o Chunga.

Depois, tal como eu tinha feito, passou os dedos pela lâmina sob a luz de um fósforo, devolveu-a sem dizer nada e voltou para a Balsa a passos largos. Ficamos alguns minutos em silêncio, sentindo o perfume dos algodoeiros próximos que uma brisa morna arrastava em direção à ponte. Atrás de nós, nos dois lados do rio, viam-se as luzes vacilantes da cidade. O silêncio era quase absoluto; às vezes, latidos ou relinchos o cortavam bruscamente.

— Prontos! — exclamou uma voz, do outro lado.
— Prontos! — gritei.

Houve movimentos e murmúrios no grupo de homens que estava junto à Balsa; depois, uma sombra deslizou mancando até o centro do terreno que delimitava os dois grupos. Ali vi o Manco tatear o chão com os pés; estava verificando se havia pedras, buracos. Procurei Justo com os olhos: León e Briceño tinham passado os braços sobre seus ombros. Justo se livrou deles rapidamente. Quando ficou ao meu lado, sorriu. Eu lhe dei a mão. Começou a se afastar, mas Leonidas deu um salto e o segurou pelos ombros. O velho pegou uma manta que trazia nas costas. Estava ao meu lado.

— Não se aproxime dele nem por um instante — o velho falava devagar, com a voz um pouco trêmula. — Sempre de longe. Faça-o dançar até que se canse. Cuidado principalmente com o estômago e o rosto. Mantenha o braço sempre esticado. Agache-se, pise firme. Se escorregar, fique chutando o ar até ele sair de perto... Pronto, vá, porte-se como um homem.

Justo ouviu Leonidas de cabeça baixa. Pensei que ia abraçá-lo, mas se limitou a fazer um gesto brusco. Arrancou a manta das mãos do velho e enrolou-a no braço. Depois se afastou; andava pela areia com passos firmes, a cabeça levantada.

Na sua mão direita, enquanto se distanciava de nós, o curto pedaço de metal emitia reflexos. Justo parou a dois metros do Manco.

Ficaram imóveis por uns instantes, em silêncio, certamente dizendo-se com os olhos o quanto se odiavam, observando-se, os músculos tensos sob a roupa, a mão direita apertando a navalha com ira. De longe, semiocultos pela escuridão morna da noite, não pareciam dois homens preparando-se para brigar, e sim estátuas borrosas, moldadas num material preto, ou as sombras de duas jovens e maciças alfarrobeiras da margem, projetadas no ar, não na areia. Quase simultaneamente, como que respondendo a uma urgente voz de comando, começaram a se mover. O primeiro talvez foi Justo: um segundo antes, começou a fazer um movimento muito lento no mesmo lugar, que subia dos joelhos até os ombros, e o Manco o imitou, balançando-se também, sem mexer os pés. Suas posições eram idênticas: o braço direito à frente, ligeiramente dobrado com o cotovelo para fora, a mão apontando diretamente para o centro do adversário, e o braço esquerdo, enrolado na manta, desproporcional, gigante, cruzado como um escudo na altura do rosto. A princípio só os seus corpos se moviam, as cabeças, os pés e as mãos permaneciam fixos. Imperceptivelmente, os dois foram se inclinando, estendendo as costas, com as pernas flexionadas, como se fossem mergulhar na água. O Manco foi o primeiro a atacar: de súbito deu um salto para a frente, seu braço descreveu um círculo veloz. O traço da arma no ar, que roçou em Justo, sem feri-lo, ainda estava inconcluso quando este, que era rápido, começou a girar. Sem abrir a guarda, tecia um cerco em volta do outro, deslocando-se suavemente na areia, num ritmo cada vez mais rápido. O Manco girava no mesmo lugar. Estava ainda mais encolhido e, enquanto dava voltas sobre si mesmo, seguindo a direção do adversário, também o perseguia o tempo todo com o olhar, como que hipnotizado. De repente, Justo parou: nós o vimos pular com todo o corpo contra o outro e num segundo voltar ao seu lugar, como um boneco de molas.

— Pronto — murmurou Briceño. — Já o rasgou.

— No ombro — disse Leonidas. — Mas de leve.

Sem ter dado um grito, firme em sua posição, o Manco continuava a dança, enquanto Justo não se limitava mais a avançar em redondo; ao mesmo tempo, ele se aproximava e se afastava do Manco sacudindo a manta, abria e fechava a guarda, oferecia o corpo e o negava, esquivo, ágil, tentando e evitando seu contendor como mulher no cio. Queria deixá-lo tonto, mas o Manco tinha experiência e recursos. Rompeu o círculo retrocedendo, sempre inclinado, obrigando Justo a parar e a segui-lo. Este o perseguia em passos muito curtos, a cabeça para a frente, o rosto protegido pela manta pendurada no braço; o Manco fugia arrastando os pés, agachado até quase tocar com os joelhos na areia. Justo esticou duas vezes o braço e nas duas só encontrou o vazio. "Não se aproxime tanto", disse Leonidas, ao meu lado, numa voz tão baixa que só eu podia ouvi-lo, no momento em que o vulto, a sombra disforme e larga que tinha se apequenado, dobrando-se sobre si mesma como uma larva, recuperava brutalmente sua estatura normal e, ao crescer e se lançar, tirava Justo da nossa vista. Ficamos um, dois, talvez três segundos sem fôlego, vendo a imagem desmesurada dos combatentes abraçados e escutamos um som breve, o primeiro que ouvíamos durante o combate, semelhante a um arroto. Um instante depois surgiu ao lado da sombra gigantesca uma outra, mais magra e esbelta, que com dois saltos voltou a criar uma muralha invisível entre os lutadores. Dessa vez foi o Manco que começou a girar: movia o pé direito e arrastava o esquerdo. Eu me esforçava em vão para que meus olhos atravessassem a penumbra e lessem na pele de Justo o que acontecera naqueles três segundos em que os adversários, juntos como dois amantes, formavam um corpo único. "Saia daí!", disse baixinho Leonidas. "Por que luta de tão perto?" Misteriosamente, como se a brisa leve que soprava tivesse transportado essa mensagem secreta, Justo também começou a saltar como o Manco. Agachados, atentos, ferozes, passavam da defesa ao ataque e depois à defesa com uma velocidade de relâmpagos, mas as simulações não surpreendiam ninguém: ao movimento rápido do braço inimigo, esticado para jogar uma pedra, que buscava não ferir, mas desconcertar o adversário, confundi-lo por um instante, romper-lhe a guarda, o outro respondia, automaticamente, levantando o braço esquerdo sem se mexer. Eu não tinha como ver os rostos, mas fechava os olhos e os via melhor do que se estivesse no meio deles: o Manco, transpirando, de boca fechada, seus olhinhos de porco incendiados, flamejando atrás das pálpebras, sua pele palpitante, as asas do seu nariz chato e sua boca larga agitadas por um tremor inverossímil, e Justo, com sua máscara habitual de desprezo, acentuada pela cólera, e seus lábios úmidos de exasperação e fadiga. Abri os olhos a tempo de ver Justo investir aloucada, cegamente contra o outro, dando-lhe todas as vantagens, oferecendo-lhe a cara, desguarnecendo absurdamente o corpo. A raiva e a impaciência o levantaram, mantiveram-no estranhamente no ar, recortado contra o céu, e o jogaram com violência contra sua presa. A explosão selvagem deve ter surpreendido o Manco, que, por um tempo brevíssimo, ficou indeciso e, quando se inclinou, esticando o braço como uma flecha, ocultando da nossa vista a lâmina brilhante que perseguíamos alucinados, soubemos que o gesto de loucura de Justo não tinha sido totalmente inútil. Com o toque, a noite que nos envolvia se povoou de rugidos dilacerantes e profundos que brotavam como faíscas dos combatentes. Não soubemos na época, nunca saberemos, quanto tempo os dois ficaram abraçados naquele poliedro convulsivo, mas, mesmo sem distinguir quem era quem, sem saber de que braço partiam os golpes, que garganta proferia os rugidos que se sucediam como ecos, vimos muitas vezes, no ar, tremendo em direção ao céu, ou no meio das sombras, abaixo, dos lados, as lâminas nuas das navalhas, velozes, iluminadas, sumindo e aparecendo, afundando ou vibrando na noite, como num espetáculo de mágica.

Devíamos estar ofegantes e ávidos, sem respirar, com os olhos dilatados, talvez murmurando palavras incompreensíveis, até que a pirâmide humana se dividiu, de súbito cortada no centro por uma navalhada invisível: os dois saíram expelidos, como se estivessem imantados pelas costas, no mesmo momento, com a mesma violência. Ficaram a um metro de distância, ofegantes. "Temos que pará-los", disse a voz de León. "Chega." Mas antes que pensássemos em mexer-nos, o Manco tinha saído de sua posição como um bólido. Justo não se esquivou da investida e ambos rolaram pelo chão, retorcendo-se na areia, mexendo-se um sobre o outro, cortando o ar com talhos e arquejos surdos. Dessa vez a luta foi muito breve. Logo ficaram quietos, deitados no leito do rio, como se estivessem dormindo. Eu já me preparava para correr até lá quando, talvez adivinhando minha intenção, um dos dois se levantou de súbito e ficou em pé junto ao caído, cambaleando pior que um bêbado. Era o Manco.

Na luta, tinham perdido as mantas, que repousavam um pouco mais à frente, como uma pedra de muitos vértices. "Vamos", disse León. Mas dessa vez aconteceu outra coisa que nos manteve imóveis. Justo se levantava, penosamente, apoiando todo o corpo no braço direito e cobrindo a cabeça com a mão livre, como se quisesse afastar dos olhos uma visão horrível. Quando ficou em pé, o Manco retrocedeu alguns passos. Justo cambaleava. Não tirara o braço do rosto. Ouvimos, então, uma voz que todos conhecíamos, mas que dessa vez não reconheceríamos se tivesse nos surpreendido na escuridão:

— Julián! — gritou o Manco. — Diga a ele que se renda!

Eu me virei para olhar Leonidas, mas no caminho encontrei o rosto de León: observava a cena com uma expressão atroz. Voltei a olhá-los: estavam unidos novamente. Açulado pelas palavras do Manco, Justo, na certa, tirou o braço do rosto no segundo em que eu afastava os olhos da luta, e deve ter se jogado contra o inimigo extraindo as últimas forças da sua dor, da sua amargura de vencido. O Manco se livrou facilmente dessa arremetida sentimental e inútil, pulando para trás:

— Dom Leonidas! — gritou de novo, com um tom furioso e implorante. — Diga a ele que se renda!

— Cale-se e brigue! — bramou Leonidas, sem vacilar.

Justo tentou um novo ataque, mas nós, principalmente Leonidas, que era velho e tinha visto muitas lutas na vida, sabíamos que não havia mais nada a fazer, que o braço dele não tinha vigor sequer para arranhar a pele azeitonada do Manco. Com uma angústia que nascia do mais profundo, subia até a boca, ressecando-a, e até os olhos, nublando-os, nós o vimos forcejar em câmera lenta por mais alguns segundos, até que a sombra se fragmentou outra vez: alguém desabava na terra com um barulho seco.

Quando chegamos aonde Justo caíra, o Manco tinha se retirado em direção aos seus e, juntos, começavam a se afastar sem falar nada. Encostei o rosto no seu peito, e só notei que uma substância quente umedecia o meu pescoço e o meu ombro, enquanto minha mão explorava sua barriga e suas costas entre rasgões de fazenda e às vezes tocava num corpo flácido, molhado e frio, de água-viva encalhada. Briceño e León tiraram seus casacos, envolveram-no com cuidado e o levantaram pelos pés e braços. Eu apanhei a manta de Leonidas, que estava alguns passos mais à frente, e com ela cobri seu rosto, às apalpadelas, sem olhar. Depois, nós três o carregamos nos ombros, em duas fileiras, como um ataúde, e nos dirigimos, igualando os passos, para o caminho que escalava a margem do rio e que nos levaria à cidade.

— Não chore, velho — disse León. — Não conheci ninguém tão valente como o seu filho. De verdade.

Leonidas não respondeu. Ia atrás de mim, de maneira que eu não podia vê-lo.

Na altura dos primeiros ranchos de Castilla, perguntei:

— Levamos para a sua casa, dom Leonidas?

— Sim — disse o velho, precipitadamente, como se não tivesse ouvido o que eu lhe dizia.

# O irmão menor

Ao lado do caminho havia uma enorme pedra e, nela, um sapo; David mirava cuidadosamente apontando em sua direção.

— Não atire — disse Juan.

David abaixou a arma e olhou para o irmão, surpreso.

— Ele pode ouvir os tiros — disse Juan.

— Está doido? Faltam cinquenta quilômetros para a cachoeira.

— Vai ver ele não está na cachoeira — insistiu Juan —, mas sim nas cavernas.

— Não — disse David. — Além do mais, mesmo que estivesse, nunca pensaria que somos nós.

O sapo continuava lá, respirando calmamente com sua imensa bocarra aberta, e detrás de suas remelas observava David com certo ar doentio. David tornou a levantar o revólver, apontou sem pressa e atirou.

— Não acertou — disse Juan.

— Acertei sim.

Foram até a pedra. Uma manchinha verde delatava o lugar onde estivera o sapo.

— Não acertei?

— É — disse Juan —, acertou sim.

Andaram até os cavalos. Soprava o mesmo vento frio e perfurante que os escoltara durante o trajeto, mas a paisagem começava a mudar, o sol mergulhava atrás das colinas, ao pé de uma montanha uma sombra imprecisa escondia os roçados, as nuvens enroscadas nos picos mais próximos adquiriam a cor cinza-escura das rochas. David jogou nos ombros a manta que havia estendido no solo para descansar e depois, maquinalmente, trocou a bala disparada do revólver. De esguelha, Juan observou as mãos de David carregando a arma e colocando-a no coldre; seus dedos não pareciam obedecer a uma vontade, pareciam agir sozinhos.

— Vamos? — disse David.

Juan assentiu.

O caminho era uma subida estreita e os animais avançavam com dificuldade, escorregando constantemente nas pedras, ainda úmidas por causa das chuvas dos últimos dias. Os irmãos iam silenciosos. Uma delicada e invisível garoa veio ao seu encontro pouco depois da partida, mas cessou logo. Já escurecia quando avistaram as cavernas, o morro achatado e comprido como uma minhoca, que todos conhecem como Morro dos Olhos.

— Vamos ver se está lá? — perguntou Juan.

— Não vale a pena. Tenho certeza de que não saiu de perto da cachoeira. Ele sabe que poderiam vê-lo daqui, sempre passa alguém pelo caminho.

— Certo — disse Juan.

E um instante depois perguntou:

— E se aquele cara mentiu?

— Quem?

— Aquele que nos disse que o viu.

— Leandro? Não, não se atreveria a mentir para mim. Ele disse que está escondido na cachoeira, e com certeza está. Você vai ver.

Continuaram avançando até alta noite. Um lençol negro os envolveu e, na escuridão, o desamparo daquela região solitária, sem árvores nem homens, só era visível no silêncio que foi se acentuando até transformar-se numa presença semicorpórea. Juan, inclinado sobre o pescoço de sua montaria, procurava distinguir as marcas incertas da trilha. Percebeu que tinham chegado ao topo quando, inesperadamente, se viram em um terreno plano. David indicou que iriam continuar a pé. Desmontaram, amarraram os animais numas pedras. O irmão mais velho puxou as crinas do seu cavalo, bateu várias vezes no lombo e murmurou em seu ouvido:

— Espero não encontrar você congelado amanhã.
— Vamos descer agora? — perguntou Juan.
— Vamos — retrucou David. — Não está com frio? É melhor esperar o dia no desfiladeiro. Lá podemos descansar. Você tem medo de descer no escuro?
— Não. Vamos agora, tudo bem.

Começaram a descida imediatamente. David ia na frente, empunhava uma pequena lanterna e a coluna de luz oscilava entre seus pés e os de Juan, o círculo dourado parava por um instante no lugar em que o irmão menor devia pisar. Em poucos minutos, Juan transpirava intensamente e as pedras ásperas do declive deixaram as suas mãos cheias de arranhões. Só via à sua frente o disco iluminado, mas sentia a respiração do irmão e adivinhava os seus movimentos: devia estar avançando pela encosta escorregadia muito seguro de si mesmo, transpondo os obstáculos sem dificuldade. Ele, ao contrário, antes de cada passo aferia a solidez do terreno e procurava um apoio onde se agarrar; mesmo assim, em vários momentos esteve a ponto de cair. Quando chegaram ao despenhadeiro, Juan pensou que a descida talvez tivesse demorado várias horas. Estava exausto, e agora ouvia o som da cachoeira bem de perto. Esta era uma cortina de água grande e majestosa que se precipitava das alturas, retumbando como um trovão, em uma lagoa que alimentava um riacho. Em volta da lagoa havia musgo e ervas o ano todo, e essa era a única vegetação nos vinte quilômetros ao redor.

— Aqui podemos descansar — disse David.

Sentaram-se um ao lado do outro. A noite estava fria, o ar úmido, o céu encoberto. Juan acendeu um cigarro. Estava cansado, mas sem sono. Ouviu seu irmão se espreguiçar e bocejar; pouco depois parava de se mover, sua respiração era mais suave e metódica, vez por outra emitia uma espécie de murmúrio. Juan também tentou dormir. Ajeitou o corpo nas pedras da melhor forma que pôde e tentou esvaziar o cérebro, sem conseguir. Acendeu outro cigarro. Quando chegara à fazenda, três meses antes, fazia dois anos que não via seus irmãos. David era o mesmo homem que ele detestava e admirava desde pequeno, mas Leonor havia mudado, não era mais aquela criança que se debruçava nas janelas de La Mugre para jogar pedras nos índios punidos, mas sim uma mulher alta, de gestos primitivos, e sua beleza tinha, como a natureza que a rodeava, algo de brutal. Em seus olhos surgira um fulgor intenso. Juan sentia um enjoo que embaçava os seus olhos, um vazio no estômago, toda vez que associava a imagem daquele que estavam procurando com a lembrança da sua irmã, como uns espasmos de furor. Na madrugada desse dia, no entanto, quando viu Camilo atravessar o descampado que separava a casa grande do estábulo para arrear os cavalos, havia hesitado.

— Vamos sair sem fazer barulho — dissera David.
— Não convém que a pequena acorde.

Teve uma estranha sensação de falta de ar, como a que se sente no ponto mais alto da cordilheira, enquanto descia os degraus da casa na ponta dos pés e percorria a trilha abandonada que bordeava os roçados; quase não sentia a maranha zumbidora de mosquitos que se atiravam atrozmente contra ele e feriam, em todos os lugares acessíveis, sua pele de homem da cidade. Quando começou a subir a montanha, a falta de ar desapareceu. Não era um bom cavaleiro, e o precipício, desdobrado como uma tentação terrível à beira do caminho que parecia uma fina serpentina, absorveu sua atenção. Ficou vigilante o tempo inteiro, atento a cada passo da sua montaria e concentrando toda a sua vontade contra a vertigem que considerava iminente.

— Olhe!

Juan estremeceu.

— Você me assustou — disse. — Pensei que tinha dormido.
— Cale a boca! Olhe.
— O quê?
— Lá. Olhe.

Ao rés da terra, no ponto onde o estrondo da cachoeira parecia nascer, havia uma luzinha titilante.

— É uma fogueira — disse David. — Juro que é ele. Vamos.

— Esperemos até amanhecer — sussurrou Juan: de repente sua garganta estava seca e ardia. — Se ele sair correndo, nunca mais o alcançamos nesta escuridão.

— Ele não vai poder nos ouvir com esse barulho doido da água — respondeu David, com a voz firme, segurando o irmão pelo braço. — Vamos.

Bem devagar, com o corpo inclinado como se fosse saltar, David começou a deslizar grudado no morro. Juan ia ao seu lado, tropeçando, os olhos fixos na luz que diminuía e aumentava como se alguém estivesse abanando a chama.

À medida que os irmãos se aproximavam, o clarão da fogueira ia revelando o terreno imediato, pedregulhos, moitas, a margem da lagoa, mas não uma forma humana. Mas agora Juan tinha certeza de que o homem que eles perseguiam estava por ali, enfiado naquelas sombras, num lugar muito próximo da luz.

— É ele — disse David. — Está vendo?

Por um instante, as frágeis línguas de fogo tinham iluminado um perfil escuro e fugidio que buscava calor.

— O que vamos fazer? — murmurou Juan, detendo-se. Mas David não estava mais ao seu lado, corria para o lugar onde aparecera aquele rosto fugaz.

· Juan fechou os olhos, imaginou o índio de cócoras, suas mãos estendidas em direção às chamas, suas pupilas irritadas pelas chispas da fogueira: de repente alguma coisa lhe caía em cima, e ele só atinava a pensar num animal quando sentiu duas mãos violentas fechando-se em volta do seu pescoço e compreendeu. Deve ter sentido um terror infinito ante essa agressão inesperada que vinha da sombra, na certa nem tentou se defender, no máximo deve ter se encolhido como um caracol, para deixar seu corpo menos vulnerável, e arregalado os olhos no esforço de ver o atacante na escuridão. Então deve ter reconhecido sua voz: "O que você fez, seu canalha?", "O que fez, cachorro?" Juan escutava David e percebia que ele o estava chutando, às vezes seus chutes pareciam bater não no corpo do índio, mas nas pedras da ribeira; isso devia encolerizá-lo ainda mais. No começo, um grunhido lento chegava até Juan, como se o índio estivesse fazendo gargarejos, mas depois só ouviu a voz enfurecida de David, suas ameaças, seus palavrões. De repente Juan descobriu o revólver na sua mão direita, e seu dedo pressionava levemente o gatilho. Pensou com assombro que se atirasse também podia matar o irmão, mas não guardou a arma, e, pelo contrário, sentiu uma grande serenidade enquanto avançava até a fogueira.

— Chega, David! — gritou. — Atire nele. Não bata mais.

Não houve resposta. Agora Juan não os via, o índio e seu irmão, abraçados, tinham rolado para fora do anel iluminado pela fogueira. Não os via, mas ouvia o som abafado das pancadas e, às vezes, um xingamento ou um suspiro profundo.

— David — gritou Juan —, saia daí. Vou atirar.

Tomado por uma intensa agitação, segundos depois repetiu:

— Solte-o, David. Juro que vou atirar.

Também não teve resposta.

Depois de dar o primeiro tiro, Juan ficou estupefato por um instante, mas logo continuou disparando, sem apontar, até sentir a vibração metálica do percussor batendo no tambor vazio. Permaneceu imóvel, não sentiu que o revólver se soltava das suas mãos e caía aos seus pés. O barulho da cachoeira tinha desaparecido, um tremor percorria todo o seu corpo, sua pele estava banhada de suor, quase nem respirava. De repente gritou:

— David!

— Estou aqui, animal — respondeu ao seu lado uma voz assustada e colérica. — Não percebeu que podia ter me baleado também? Ficou maluco?

Juan virou-se para trás, de braços abertos, e abraçou o irmão. Apertado contra ele, balbuciava coisas incompreensíveis, gemia e parecia não entender as palavras de David, que tentava acalmá-lo. Juan ficou um bom tempo repetindo incoerências, soluçando. Quando se acalmou, lembrou-se do índio:

— E ele, David?

— Ele? — David tinha recuperado a linha; falava com firmeza. — Como acha que está?

A fogueira continuava acesa, mas iluminava muito pouco. Juan pegou a acha de lenha maior e procurou o índio.

Quando o encontrou, ficou um momento olhando-o com olhos fascinados e depois a madeira caiu no chão e se apagou.

— Você viu, David?

— Sim, vi. Vamos embora daqui.

Juan estava hirto e surdo, sentiu como num sonho que David o arrastava para o morro. A subida levou muito tempo. David segurava a lanterna com uma das mãos e com a outra Juan, que parecia um boneco de pano: escorregava até nas pedras mais firmes e deslizava até o solo, sem reação.

No alto desabaram no chão, esgotados. Juan enfiou a cabeça entre os braços e ficou deitado, respirando fundo. Quando se levantou, viu seu irmão examinando-o com a luz da lanterna.

— Você se feriu — disse David. — Vou fazer um curativo.

Rasgou seu lenço em dois e com cada um dos pedaços enfaixou os joelhos de Juan, que apareciam através dos rasgões da calça, banhados em sangue.

— Isto é provisório — disse David. — Vamos voltar agora mesmo. Pode infeccionar. Você não está acostumado a subir morro. Leonor vai tratar disso.

Os cavalos tiritavam de frio e seus focinhos estavam cobertos de espuma azulada. David limpou-os com a mão, acariciou seus lombos e suas garupas, estalou meigamente a língua junto às suas orelhas. "Já vamos nos aquecer", sussurrou.

Quando montaram, estava amanhecendo. Uma claridade fraca iluminava o contorno dos morros e uma laca branca se espalhava no horizonte entrecortado, mas os abismos continuavam mergulhados na escuridão. Antes de partir, David bebeu um gole prolongado do seu cantil e ofereceu-o a Juan, que não quis beber. Cavalgaram a manhã inteira por uma paisagem hostil, deixando que os animais imprimissem o ritmo da marcha à vontade. Ao meio-dia, pararam e fizeram café. David comeu um pouco do queijo e das favas que Camilo tinha colocado nos alforjes. Ao anoitecer avistaram dois troncos que formavam um xis. Ali tinham fixado uma tábua onde se lia: La Aurora. Os cavalos relincharam: reconheciam o sinal que marcava o limite da fazenda.

— Puxa — disse David. — Já era hora. Estou morto. Como vão esses joelhos?

Juan não respondeu.

— Está doendo? — insistiu David.

— Amanhã vou embora para Lima — disse Juan.

— Como assim?

— Não vou voltar para a fazenda. Estou enjoado da serra. Vou morar na cidade para sempre. Não quero saber mais do campo.

Juan olhava para a frente, evitando os olhos de David, que o procuravam.

— Você está nervoso agora — disse David. — É natural. Conversamos depois.

— Não — disse Juan. — Vamos falar agora.

— Muito bem — disse David, suavemente. — O que há com você?

Juan virou-se para o irmão, com o rosto pálido, a voz áspera.

— O que há comigo? Você se dá conta das coisas que diz? Já se esqueceu do cara da cachoeira? Se eu ficar na fazenda vou acabar acreditando que é normal fazer coisas assim.

Ia acrescentar "feito você", mas não teve coragem.

— Era um cachorro sarnento — disse David. — Esses seus escrúpulos são absurdos. Será que você já esqueceu o que ele fez com a sua irmã?

O cavalo de Juan estacou nesse momento e começou a dar pinotes e a erguer-se nas patas traseiras.

— Ele vai desembestar, David — disse Juan.

— Solte as rédeas. Você está sufocando o animal.

Juan afrouxou as rédeas e o animal se acalmou.

— Você ainda não me respondeu — disse David. — Esqueceu por que fomos atrás dele?

— Não — respondeu Juan. — Não esqueci.

Duas horas depois chegavam à cabana de Camilo, construída em cima de um promontório, entre a casa-grande e o estábulo. Antes que os irmãos parassem, a porta da cabana se abriu e Camilo apareceu na soleira. De chapéu de palha na mão, a cabeça respeitosamente inclinada, avançou até onde eles estavam e parou entre os dois cavalos, segurando as rédeas.

— Tudo bem? — disse David.

Camilo balançou a cabeça negativamente.

— A menina Leonor...

— O que aconteceu com Leonor? — interrompeu Juan, erguendo-se nos estribos.

Na sua linguagem pausada e confusa, Camilo explicou que a menina Leonor, da janela do seu quarto, tinha visto os irmãos partindo de madrugada e, quando eles ainda estavam a uns mil metros da casa, apareceu no descampado, de botas e calças de montar, gritando que preparassem o seu cavalo. Seguindo as instruções de David, Camilo recusou-se a obedecer. Ela mesma, então, entrou resolutamente no estábulo e com os próprios braços, como um homem, pôs os arreios, as mantas e as correias no Colorado, o animal mais baixo e mais nervoso de La Aurora, que era o seu preferido.

Quando ia montar, as empregadas da casa e o próprio Camilo a impediram; durante um bom tempo suportaram os insultos e os golpes da menina que, exasperada, se debatia e implorava e exigia que a deixassem partir atrás dos irmãos.

— Ah, ela vai me pagar! — disse David. — Foi Jacinta, com certeza. Ela nos ouviu falando com Leandro naquela noite, enquanto servia a mesa. Foi ela.

A menina estava muito impressionada, continuou Camilo. Depois de xingar e arranhar as empregadas e ele próprio, começou a chorar em altos brados e voltou para a casa. Lá permanecia, desde então, trancada no quarto.

Os irmãos deixaram os cavalos com Camilo e se dirigiram para a casa.

— Leonor não tem que ouvir uma palavra sobre isso — disse Juan.

— Claro que não — disse David. — Nem uma palavra.

Leonor soube que tinham chegado pelo latido dos cachorros. Estava quase dormindo quando um grunhido rouco cortou a noite e um animal ofegante passou debaixo da sua janela, como uma exalação. Era Spoky, sentiu sua corrida frenética e seus uivos inconfundíveis. Logo em seguida ouviu o trote preguiçoso e o rugido surdo de Domitila, a cachorrinha prenhe. A agressividade dos cachorros parou subitamente, os latidos foram substituídos pelos arquejos penosos que sempre recebiam David. Viu por uma fresta seus irmãos se aproximando da casa e ouviu o som da porta principal sendo aberta e fechada. Esperou que subissem a escada e chegassem ao seu quarto. Quando abriu, Juan estava com a mão pronta para bater.

— Olá, pequena — disse David.

Deixou que a abraçassem e ofereceu-lhes a testa, mas ela não os beijou. Juan acendeu a luz.

— Por que não me avisaram? Deviam ter me dito. Eu quis ir atrás de vocês, mas Camilo não me deixou. Você tem que castigá-lo, David, precisava ver como ele me segurava, é um insolente, um bruto. Eu implorei que me soltasse e ele nem ligou.

Tinha começado a falar com energia, mas sua voz se cortou. Estava descalça e com o cabelo despenteado. David e Juan tentavam acalmá-la, acariciavam-lhe a cabeça, sorriam, chamavam de pequenininha.

— Não queríamos que se preocupasse — explicava David. — Além do mais, decidimos partir em cima da hora. Você já estava dormindo.

— O que aconteceu? — disse Leonor.

Juan pegou um cobertor da cama e cobriu sua irmã. Leonor tinha parado de chorar, estava pálida, com a boca entreaberta e um olhar ansioso.

— Nada — disse David. — Não aconteceu nada. Não o encontramos.

A tensão desapareceu do rosto de Leonor, em seus lábios surgiu uma expressão de alívio.

— Mas vamos encontrá-lo — disse David. Com um gesto vago indicou a Leonor que devia se deitar. Depois deu meia-volta.

— Um instante, não saiam — disse Leonor.

Juan não se moveu.

— Sim? — disse David. — O que foi, pequena?

— Não o procurem mais.

— Não se preocupe — disse David —, esqueça isso. É assunto de homem. Deixe com a gente.

Então Leonor começou a chorar outra vez, agora com grande estardalhaço. Levava as mãos à cabeça, todo o seu corpo parecia eletrizado, seus gritos assustaram os cachorros que começaram a latir embaixo da janela. Com um gesto, David pediu a Juan que interviesse, mas o irmão menor permaneceu em silêncio e imóvel.

— Está bem, pequena — disse David. — Não chore. Não vamos mais procurá-lo.

— Mentira. Você vai matá-lo. Eu conheço você.

— Não vou fazer isso — disse David. — Se você acha que aquele miserável não merece um castigo...

— Ele não me fez nada — disse Leonor, muito rápido, mordendo os lábios.

— Não pense mais nisso — insistiu David. — Vamos esquecê-lo. Fique tranquila, pequena.

Leonor continuava chorando, seus pômulos e lábios estavam molhados e o cobertor havia despencado no chão.

— Ele não me fez nada — repetiu. — Era mentira.

— Você sabe o que está dizendo? — disse David.

— Eu não suportava mais que ele me seguisse para tudo o que é lugar — balbuciava Leonor. — Ficava atrás de mim o dia inteiro, como uma sombra.

— A culpa é minha — disse David, com amargura. — É perigoso uma mulher andar sozinha pelo campo. Mandei que ele cuidasse de você. Eu não devia confiar num índio. São todos iguais.

— Ele não me fez nada, David — clamou Leonor. — Acredite, estou dizendo a verdade. Pergunte a Camilo, ele sabe que não aconteceu nada. Por isso o ajudou a fugir. Não sabia? Sim, foi ele. Eu lhe disse. Só queria me livrar dele, por isso inventei essa história. Camilo sabe de tudo, vá perguntar a ele.

Leonor enxugou os pômulos com o dorso da mão. Apanhou o cobertor e jogou-o sobre os ombros. Parecia ter se libertado de um pesadelo.

— Amanhã nós falamos disso — disse David. — Agora estamos cansados. Hora de dormir.

— Não — disse Juan.

Leonor se deparou com o irmão bem próximo: tinha esquecido que Juan também estava lá. Tinha a testa cheia de rugas, suas narinas palpitavam como o focinho de Spoky.

— Você vai repetir agora mesmo o que disse — dizia Juan, de um modo estranho. — Vai repetir que nos mentiu.

— Juan — disse David. — Imagino que você não vai acreditar nela. Agora é que está tentando nos enganar.

— Eu disse a verdade — rugiu Leonor; olhava alternadamente para os irmãos. — Nesse dia mandei que ele me deixasse sozinha e não obedeceu. Fui até o rio e ele atrás de mim. Não podia nem tomar banho sossegada. Ele ficava parado, olhando torto para mim, como os bichos. Então vim e contei aquilo a vocês.

— Espere, Juan — disse David. — Aonde vai? Espere.

Juan tinha dado meia-volta e se dirigiu para a porta; quando David tentou detê-lo, explodiu. Começou a soltar impropérios como um endemoniado: chamou a irmã de puta e o irmão de canalha e de déspota, deu um violento empurrão em David, que queria barrar-lhe a passagem, e saiu da casa aos solavancos, deixando um rastro de injúrias. Da janela, Leonor e David o viram atravessar o descampado a toda velocidade, vociferando feito um louco, e o viram entrar no estábulo e pouco depois sair montando o Colorado em pelo. O ardiloso cavalo de Leonor seguiu docilmente na direção que lhe indicavam os punhos inexperientes que seguravam as rédeas; escarceando com elegância, mudando de passo e sacudindo as crinas louras do rabo como um leque, chegou até a beira do caminho que conduzia, por entre montanhas, desfiladeiros e extensos areais, à cidade. Ali se rebelou. Ergueu-se de repente nas patas traseiras, relinchando, girou como uma bailarina e voltou para o descampado, velozmente.

— Vai derrubá-lo — disse Leonor.

— Não — disse David, ao seu lado. — Veja só. Ele não se solta.

Muitos índios tinham chegado às portas do estábulo e observavam, surpresos, o irmão menor que continuava incrivelmente firme sobre o cavalo e ao mesmo tempo esporeava seus flancos com ferocidade e batia na cabeça com um dos punhos. Exasperado com os golpes, o Colorado ia de um lado para o outro, encabritado, saltava, empreendia vertiginosas e brevíssimas corridas e de repente parava, mas o cavaleiro parecia soldado em seu lombo. Leonor e David o viam aparecer e desaparecer, firme como o mais experiente dos domadores, e estavam mudos, pasmos. De repente, o Colorado se rendeu: com sua cabeça esbelta pendendo para o chão, como se estivesse envergonhado, ficou quieto, respirando fatigosamente. Nesse momento pensaram que ia voltar; Juan encaminhou o animal em direção à casa e parou diante da porta, mas não desmontou. Como se tivesse lembrado alguma coisa, deu meia-volta e a trote curto seguiu diretamente para aquela construção que era conhecida como La Mugre, A Imundície. Lá se apeou num pulo. A porta estava fechada e Juan fez o cadeado voar a pontapés. Depois gritou para os índios que estavam lá dentro que saíssem, que a punição havia terminado para todos. Depois voltou para a casa, caminhando lentamente. Na porta David estava à sua espera. Juan parecia sereno; estava molhado de suor e seus olhos revelavam orgulho. David se aproximou dele e levou-o para dentro com a mão no ombro.

— Vamos — dizia. — Vamos tomar uns goles enquanto Leonor trata dos seus joelhos.

# Domingo

Conteve a respiração por um instante, cravou as unhas na palma das mãos e disse, muito rapidamente: "Estou apaixonado por você." Viu que ela corava de repente, como se alguém tivesse batido em seu rosto, que era de uma palidez resplandecente e muito suave. Apavorado, sentiu que a confusão subia dentro de si e petrificava a sua língua. Quis sair correndo, acabar logo com aquilo: nessa taciturna manhã de inverno surgiu o desânimo íntimo que sempre o abatia nos momentos decisivos. Poucos minutos antes, no meio da multidão animada e sorridente que circulava pelo parque Central de Miraflores, Miguel ainda repetia para si mesmo: "Agora. Quando chegar à avenida Pardo. Vou ter coragem. Ah, Rubén, se você soubesse como o odeio!" E antes ainda, na igreja, enquanto procurava Flora com os olhos, localizava-a ao pé de uma coluna e, abrindo passagem com os cotovelos sem pedir licença às senhoras que empurrava, conseguia se aproximar dela e cumprimentá-la em voz baixa, tornava a pensar, teimosamente, como nessa madrugada, deitado na cama, vigiando a aparição da luz: "Não tem mais jeito. Preciso fazer isso ainda hoje. De manhã. Você me paga, Rubén." E na noite anterior tinha chorado, pela primeira vez em muitos anos, ao saber que preparava, para si próprio, essa emboscada ignóbil. As pessoas continuavam no parque, e a avenida Pardo estava deserta; eles caminhavam pela alameda, sob os fícus de cabeleiras altas e espessas. "Preciso me apressar", pensava Miguel, "senão me estrepo". Olhou de esguelha em volta: não havia ninguém, podia tentar. Lentamente, foi esticando a mão esquerda até tocar na dela; o contato lhe revelou que estava transpirando. Implorou que ocorresse um milagre, que cessasse aquela humilhação. "O que digo a ela", pensava, "o que digo a ela". Ela tinha acabado de retirar a mão e ele se sentia desamparado e ridículo. Todas as frases radiantes, preparadas febrilmente na véspera, tinham se dissolvido como bolhas de espuma.

— Flora — balbuciou —, esperei muito tempo por este momento. Desde que a conheci só penso em você. Estou apaixonado pela primeira vez, acredite em mim, nunca conheci uma garota como você.

Outra vez uma compacta mancha branca em seu cérebro, o vazio. Não podia aumentar a pressão: a pele cedia como borracha e as unhas atingiam o osso. Mesmo assim, continuou falando, penosamente, com grandes intervalos, vencendo a constrangedora gagueira, tentando descrever uma paixão irrefletida e total, até descobrir, com alívio, que chegavam à primeira rotunda da avenida Pardo, e então se calou. Entre o segundo e o terceiro fícus, depois da rotunda, morava Flora. Pararam, olharam-se: Flora ainda estava corada e a confusão havia enchido seus olhos de um brilho úmido. Desolado, Miguel pensou que nunca a achara tão bonita: uma fita azul prendia os seus cabelos e ele podia ver o nascimento do pescoço e as orelhas, dois pontos de interrogação, pequeninos e perfeitos.

— Olhe, Miguel — disse Flora; sua voz era suave, cheia de música, segura. — Não posso responder agora. Mas a minha mãe não quer que eu saia com garotos até terminar o colégio.

— Todas as mães dizem a mesma coisa, Flora — insistiu Miguel. — Como ela vai saber? A gente se vê quando você quiser, mesmo que seja só aos domingos.

— Respondo depois, primeiro tenho que pensar — disse Flora, baixando os olhos. E após alguns segundos acrescentou: — Desculpe, mas agora preciso ir, já é tarde.

Miguel sentiu um cansaço profundo, algo que se expandia por todo o seu corpo e o amolecia.

— Não está zangada comigo, Flora, não é? — disse humildemente.

— Não seja bobo — replicou ela, com vivacidade. — Não estou zangada.

— Esperarei o tempo que você quiser — disse Miguel. — Mas vamos continuar nos vendo, não é? Vamos ao cinema esta tarde, não é?

— Esta tarde não posso — disse ela, docemente. — Martha me convidou para ir à casa dela.

Uma onda de calor, violenta, invadiu-o e ele se sentiu ferido, atordoado, diante dessa resposta que já esperava e que agora lhe parecia uma crueldade. Era mesmo verdade aquilo que o Melanés tinha murmurado, malignamente, em seu ouvido no sábado à tarde. Martha os deixaria sozinhos, era a tática habitual. Depois, Rubén relataria aos gaviões como ele e sua irmã tinham planejado as circunstâncias, o lugar e a hora. Martha teria exigido, como pagamento pelos seus serviços, o direito de espiar atrás da cortina. A cólera encharcou de repente as suas mãos.

— Não seja assim, Flora. Vamos à matinê como combinamos. Eu não falo mais disso. Prometo.

— Não posso, de verdade — disse Flora. — Tenho que visitar a Martha. Ela veio ontem à minha casa para me convidar. Mas depois vou com ela ao parque Salazar.

Nem mesmo nessas últimas palavras viu uma esperança. Pouco depois contemplava o lugar onde a frágil figurinha celeste tinha desaparecido, sob o arco majestoso dos fícus da avenida. Era possível competir com um simples adversário, não com Rubén. Lembrou os nomes das garotas convidadas por Martha, numa tarde de domingo. Não podia fazer mais nada, estava derrotado. Mais uma vez surgiu então a imagem que o salvava toda vez que sofria uma frustração: saindo de um longínquo fundo de nuvens infladas de fumaça preta ele se aproximava, à frente de uma companhia de cadetes da Escola Naval, de um palanque montado no parque. Personagens vestidos a rigor, de cartola na mão, e senhoras com joias faiscantes o aplaudiam. Aglomerada nas calçadas, uma multidão em que sobressaíam os rostos dos seus amigos e dos seus inimigos o observava maravilhada, murmurando o seu nome. Vestido de azul, uma ampla capa flutuando às costas, Miguel desfilava na frente, olhando para o horizonte. Com a espada erguida, sua cabeça descrevia meio círculo no ar: ali, no coração da tribuna, estava Flora, sorrindo. Num canto, maltrapilho, envergonhado, descobria Rubén: só lhe concedia um brevíssimo olhar depreciativo. Continuava marchando, desaparecia entre vivas.

Como o vapor de um espelho que se esfrega, a imagem desapareceu. Estava na porta da sua casa, odiava todo o mundo, odiava-se. Entrou e subiu diretamente para o quarto. Deitou de bruços na cama; na morna escuridão, entre suas pupilas e suas pálpebras apareceu o rosto da garota — "Eu te amo, Flora", disse ele em voz alta — e depois Rubén, com sua mandíbula insolente e seu sorriso hostil; estavam um ao lado do outro, iam se aproximando, os olhos de Rubén se torciam para olhar debochadamente para ele enquanto sua boca avançava em direção a Flora.

Pulou da cama. O espelho do armário lhe mostrou um rosto com olheiras, lívido. "Não vai vê-la", decidiu. "Não vai me fazer isso, não vou permitir que me faça essa sacanagem." A avenida Pardo continuava deserta. Apressando o passo sem trégua, chegou à esquina com a avenida Grau; ali vacilou. Sentiu frio; tinha esquecido o casaco no quarto, e a camisa não era suficiente para protegê-lo do vento que vinha do mar e se enredava com um suave murmúrio na ramagem densa dos fícus. A imagem temida de Flora e Rubén juntos lhe deu coragem, e continuou andando. Viu-os da porta do bar vizinho ao cinema Montecarlo, na mesa de costume, donos do ângulo formado pelas paredes do fundo e da esquerda. Francisco, o Melanés, Tobías e o Escolar o viram e, após um momento de surpresa, viraram-se para Rubén, com os rostos maliciosos, excitados. Recuperou o aprumo logo em seguida; diante dos homens ele sabia como agir.

— Olá — disse, ao se aproximar. — O que há de novo?

— Sente-se — o Escolar lhe ofereceu uma cadeira. — Que milagre o trouxe por aqui?

— Faz séculos que não vem — disse Francisco.

— Tive vontade de vê-los — disse Miguel, cordialmente. — Sabia que vocês estavam aqui. Por que se assombram? Sou ou não sou um gavião?

Sentou-se entre o Melanés e Tobías. Rubén estava à sua frente.

— Cuncho! — gritou o Escolar. — Traga outro copo. Que não esteja muito encardido.

Cuncho trouxe o copo e o Escolar encheu-o de cerveja. Miguel disse: "Pelos gaviões" e bebeu.

— Quase bebe o copo também — disse Francisco. — Que ímpeto!

— Aposto que você foi à missa da uma — disse o Melanés, uma das pálpebras dobrada de satisfação, como sempre que começava alguma intriga. — Ou não?

— Fui — disse Miguel, imperturbável. — Mas só para ver uma mulherzinha, mais nada.

Olhou para Rubén com ar desafiador, mas ele não se deu por achado; brincava com os dedos sobre a mesa e, baixinho, a ponta da língua entre os dentes, assobiava *La niña Popof*, de Pérez Prado.

— Boa! — aplaudiu o Melanés. — Boa, dom Juan. Conte, que mulherzinha?

— Isso é segredo.

— Entre os gaviões não há segredos — lembrou Tobías. — Já se esqueceu? Vamos, quem era?

— Não interessa — disse Miguel.

— Interessa muitíssimo — disse Tobías. — Preciso saber com quem você anda para saber quem é.

— Ganhou — disse o Melanés para Miguel. — Um a zero.

— Quer ver como adivinho quem é? — disse Francisco. — Vocês, não?

— Eu já sei — disse Tobías.

— Eu também — disse o Melanés. Virou-se para Rubén com os olhos e a voz muito inocentes. — E você, compadre, adivinhou quem é?

— Não — disse Rubén, com frieza. — E nem me interessa.

— Meu estômago está pegando fogo — disse o Escolar. — Ninguém vai pedir uma cerveja?

O Melanés passou um patético dedo pela garganta:
— *I haven't money, darling* — disse.
— Eu pago uma garrafa — anunciou Tobías, com um gesto solene. — Vamos ver quem me acompanha, precisamos apagar o incêndio deste babão.
— Cuncho, traga meia dúzia de garrafas de Cristal — disse Miguel.
Houve gritos de júbilo, exclamações.
— Você é um verdadeiro gavião — proclamou Francisco.
— Sujo, pulguento — adicionou o Melanés —, sim, senhor, um gavião nota dez.
Cuncho trouxe as cervejas. Beberam. Ouviram o Melanés contar histórias sexuais, cruas, extravagantes e febris, e Tobías e Francisco começaram uma séria polêmica sobre futebol. O Escolar contou um caso. Vinha de Lima para Miraflores numa perua; os outros passageiros desceram na avenida Arequipa. Na altura da Javier Prado subiu o "cachalote" Tomasso, aquele albino de dois metros que continua no primário, ele mora perto da Quebrada: percebem?; fingindo um grande interesse pelo veículo ele começou a fazer perguntas ao motorista, inclinado sobre o banco da frente, enquanto rasgava com uma navalha, suavemente, a forração do encosto.
— Só fez isso porque eu estava lá — afirmou o Escolar. — Queria se mostrar.
— É um retardado mental — disse Francisco. — Essas coisas se fazem aos dez anos. Na idade dele, não tem mais graça.
— Tem graça o que aconteceu depois — riu o Escolar. — Escute, motorista, não vê que este cachalote está destroçando o seu carro?
— O quê? — disse o motorista, freando de repente. As orelhas vermelhas, os olhos espantados, o cachalote Tomasso pelejava com a porta.
— Com a navalha — disse o Escolar. — Veja só como deixou o banco.

O cachalote afinal conseguiu sair. Começou a correr pela avenida Arequipa; o motorista ia atrás dele, gritando: "Peguem esse desgraçado."

— Pegou? — perguntou o Melanés.

— Não sei. Eu sumi. E roubei a chave do motor, de lembrança. Aqui está.

Tirou do bolso uma pequena chave prateada e jogou-a na mesa. As garrafas estavam vazias. Rubén consultou o relógio e se levantou.

— Vou embora — disse. — Mais tarde nos vemos.

— Não vá — disse Miguel. — Hoje estou rico. Convido todo mundo para almoçar.

Um redemoinho de palmas caiu sobre ele, os gaviões agradeceram com estardalhaço, felicitando-o.

— Não posso — disse Rubén. — Tenho trabalho.

— Então vá, meu rapaz — disse Tobías. — E dê lembranças a Marthinha.

— Vamos pensar muito em você, compadre — disse o Melanés.

— Não — exclamou Miguel. — Ou convido todos ou ninguém. Se Rubén for embora, nada feito.

— Você ouviu, gavião Rubén — disse Francisco —, agora precisa ficar.

— Precisa ficar — disse o Melanés —, não tem jeito.

— Vou embora — disse Rubén.

— O caso é que você está bêbado — disse Miguel. — Quer ir embora porque tem medo de fazer um papel ridículo diante de nós, é isso o que acontece.

— Quantas vezes já levei você para casa vomitando? — disse Rubén. — Quantas vezes o ajudei a pular a grade para não ser apanhado pelo seu pai? Resisto dez vezes mais que você.

— Resistia — disse Miguel. — Agora é difícil. Quer ver?

— Com todo o prazer — disse Rubén. — Espero você de noite, aqui mesmo.

— Não. Agora — Miguel virou-se para os outros, abrindo os braços: — Gaviões, estou fazendo um desafio.

Feliz, verificou que a velha fórmula conservava o seu poder intacto. Em meio à ruidosa alegria que provocou, viu Rubén sentar-se, pálido.

— Cuncho! — gritou Tobías. — O menu. E duas piscinas de cerveja. Um gavião acaba de fazer um desafio.

Pediram bifes à *chorrillana* e uma dúzia de cervejas. Tobías separou três garrafas para cada um dos competidores e as outras para o restante. Comeram quase sem falar. Miguel bebia depois de cada mordida e procurava demonstrar animação, mas o medo de não aguentar o suficiente crescia à medida que a cerveja deixava um sabor ácido em sua garganta. Quando as seis garrafas acabaram, fazia tempo que Cuncho tirara os pratos.

— Peça você — disse Miguel a Rubén.

— Mais três por cabeça.

Depois do primeiro copo da nova rodada, Miguel sentiu os ouvidos zumbindo; sua cabeça era uma roleta lentíssima, tudo balançava.

— Preciso mijar — disse. — Vou ao banheiro.

Os gaviões riram.

— Você se rende? — perguntou Rubén.

— Vou mijar — gritou Miguel. — Se quiser, mande trazer mais.

Vomitou no banheiro. Depois lavou o rosto, cuidadosamente, procurando apagar qualquer sinal revelador. Seu relógio marcava quatro e meia. Apesar do denso mal-estar, sentiu-se feliz. Rubén não podia fazer mais nada. Voltou aonde eles estavam.

— Saúde — disse Rubén, levantando o copo.

"Está furioso", pensou Miguel. "Mas já o ferrei."

— Cheiro de cadáver — disse o Melanés. — Tem alguém morrendo por aqui.

— Estou novinho em folha — afirmou Miguel, tentando controlar o asco e o enjoo.

— Saúde — repetia Rubén.

Quando terminaram a última cerveja, seu estômago parecia de chumbo, as vozes dos outros chegavam aos seus olhos como uma confusa mistura de sons. Uma mão de repente apareceu ante os seus ouvidos, era branca e tinha dedos compridos, pegava no seu queixo, obrigava-o a erguer a cabeça; o rosto de Rubén tinha crescido. Estava engraçado, tão despenteado e colérico.

— Você se rende, moleque?

Miguel levantou-se de repente e empurrou Rubén, mas antes que a coisa fosse adiante o Escolar interveio.

— Os gaviões não brigam nunca — disse, obrigando-os a sentar. — Vocês dois estão bêbados. Agora chega. Votação.

O Melanés, Francisco e Tobías concordaram em dar empate, a contragosto.

— Eu já tinha vencido — disse Rubén. — Ele não consegue nem falar. Olhem só.

De fato, os olhos de Miguel estavam vidrados, a boca aberta, e da sua língua escorria um fio de saliva.

— Cale-se — disse o Escolar. — Você, bebendo cerveja, não é exatamente um campeão.

— Você não é o campeão dos bebedores de cerveja — sublinhou o Melanés. — Só é campeão de natação, o gênio das piscinas.

— É melhor calar essa boca — disse Rubén —; não vê que por dentro você está louco de inveja?

— Viva a Esther Williams de Miraflores — disse o Melanés.

— Tremendo marmanjo e não sabe nem nadar — disse Rubén. — Não quer que eu lhe dê umas aulas?

— Já sabemos, lindinho — disse o Escolar. — Você ganhou um campeonato de natação. E todas as garotas se derretem por você. É um verdadeiro campeãozinho.

— Esse aí não é campeão de coisa nenhuma — disse Miguel, com dificuldade. — É pura pose.

— Você está quase morto — disse Rubén. — Quer que eu a leve para a sua casa, garotinha?

— Não estou bêbado — garantiu Miguel. — E você é pura pose.

— Você está bravo porque vou dar em cima da Flora — disse Rubén. — Morre de ciúmes. Pensa que eu não capto as coisas?

— Pura pose — disse Miguel. — Você ganhou porque seu pai é presidente da Federação, todo mundo sabe que ele fez trapaça, desclassificou o Coelho Villarán, foi só por isso que você ganhou.

— Pelo menos eu nado melhor que você — disse Rubén —, nem pegar onda você sabe.

— Não nada melhor do que ninguém — disse Miguel. — Qualquer um deixa você para trás.

— Qualquer um — disse o Melanés. — Até o Miguel, que é uma verdadeira mãe.

— Com licença, mas tenho que sorrir — disse Rubén.

— Pode sorrir — disse Tobías. — Fique à vontade.

— Vocês me provocam porque estamos no inverno — disse Rubén. — Senão, eu os desafiaria para ir até a praia, ver se na água são tão abusados.

— Você ganhou o campeonato graças ao seu pai — disse Miguel. — É pura pose. Quando quiser nadar comigo, é só avisar, não precisa fazer cerimônia. Na praia, no Terrazas, onde você quiser.

— Na praia — disse Rubén. — Agora mesmo.

— Você é pura pose — disse Miguel.

O rosto de Rubén se iluminou de repente e seus olhos, além de rancorosos, ficaram arrogantes.

— Vamos ver quem chega primeiro à arrebentação — disse.

— Pura pose — disse Miguel.

— Se você ganhar — disse Rubén —, prometo que não dou em cima da Flora. E se eu ganhar você se manda de mala e cuia.

— Está pensando o quê? — balbuciou Miguel. — Maldito seja, está pensando o quê?

— Gaviões — disse Rubén, abrindo os braços —, estou fazendo um desafio.

— Miguel não está em forma agora — disse o Escolar.

— Por que não apostam a Flora no cara ou coroa?

— E você por que se mete — disse Miguel. — Aceito. Vamos para a praia.

— Estão malucos — disse Francisco. — Eu não desço até a praia com este frio. Façam outra aposta.

— Ele aceitou — disse Rubén. — Vamos.

— Quando um gavião faz um desafio, todos guardam a língua no bolso — disse o Melanés. — Vamos para a praia. E se não tiverem coragem de entrar na água, nós os jogamos.

— Os dois estão bêbados — insistiu o Escolar. — O desafio não vale.

— Cale-se, Escolar — rugiu Miguel. — Já sou grandinho, não preciso que cuidem de mim.

— Muito bem — disse o Escolar, encolhendo os ombros. — Então dane-se.

Saíram. Lá fora os esperava uma atmosfera quieta, cinzenta. Miguel respirou fundo; sentiu-se melhor. Iam na frente Francisco, o Melanés e Rubén. Atrás, Miguel e o Escolar. Na avenida Grau havia alguns passantes; na maioria, empregadas domésticas usando roupas coloridas no seu dia de folga. Homens acinzentados, de cabelos lisos e grossos, rondavam em volta delas olhando-as com cobiça; elas riam mostrando seus dentes de ouro. Os gaviões não prestavam atenção. Avançavam em passos largos e pouco a pouco a excitação os dominava.

— Passou? — disse o Escolar.

— Sim — respondeu Miguel. — O ar me fez bem.

Dobraram na esquina da avenida Pardo. Marchavam formados como um pelotão, numa mesma linha, debaixo dos fícus da alameda, sobre as lajotas estofadas aqui e ali pelas enormes raízes das árvores que às vezes irrompiam como garras na superfície. Ao descer pela Diagonal, passaram por duas garotas. Rubén inclinou-se, cerimonioso.

— Olá, Rubén — cantaram elas, em dueto.

Tobías as imitou, aflautando a voz:

— Olá, Rubén, meu príncipe.

A avenida Diagonal desemboca numa pequena passagem que se bifurca; por um lado, serpenteia o Malecón, asfaltado e brilhoso; pelo outro, há uma ladeira que contorna a colina e chega até o mar. É chamada de "descida aos banhos", seu calçamento é liso e brilha por causa do ir e vir das rodas dos carros e dos pés dos banhistas de muitíssimos verões.

— Vamos para o aquecimento, campeões — gritou o Melanés, começando a correr. Os outros o imitaram.

Corriam contra o vento e a fina bruma que vinham da praia, levados por um emocionante turbilhão; por seus ouvidos, bocas e narizes o ar penetrava nos pulmões e uma sensação de alívio e desintoxicação se expandia em seus corpos à medida que o declive se acentuava e a certa altura seus pés só obedeciam a uma força misteriosa que vinha do mais profundo da terra. Com os braços girando como hélices, um hálito salgado nas línguas, os gaviões desceram a ladeira a toda velocidade até a plataforma circular, suspensa sobre o prédio das cabines. O mar se desvanecia a uns cinquenta metros da margem, numa nuvem espessa que parecia próxima a arremeter contra as escarpas, altas moles escuras plantadas ao longo de toda a baía.

— Vamos voltar — disse Francisco. — Estou com frio.

Na beira da plataforma há uma amurada com manchas de musgo aqui e ali. Uma abertura mostra o começo da escadinha, quase vertical, que desce até a praia. Dali os gaviões contemplavam, aos seus pés, uma estreita faixa de água livre, e a superfície inusitada, borbulhante, coberta pela espuma das ondas.

— Só vou embora se ele se render — disse Rubén.

— Quem falou em render-se? — respondeu Miguel. — Mas quem você pensa que é?

Rubén desceu a escadinha aos pulos, já desabotoando a camisa.

— Rubén! — gritou o Escolar. — Está maluco? Volte!

Mas Miguel e os outros já desciam também e o Escolar os seguiu.

No verão, da varanda do alto e estreito prédio encostado no morro, onde ficam as cabines dos banhistas, até o limite curvo do mar havia um declive de pedras plúmbeas onde as pessoas pegavam sol. Essa pequena praia fervilhava de animação desde a manhã até o crepúsculo.

Agora a água ocupava o declive e não havia barracas de cores vivíssimas nem garotas flexíveis de corpos bronzeados, não se ouviam os gritos melodramáticos das crianças e das mulheres quando uma onda as salpicava antes de voltar arrastando rumorosas pedras e calhaus, não se via nem um fio de praia, porque a água inundava até o espaço limitado pelas sombrias colunas que sustentam o prédio e, quando se retirava, só despontavam os degraus de madeira e os suportes de cimento, decorados com estalactites e algas.

— Não se vê a arrebentação — disse Rubén. — Como fazemos?

Estavam na galeria da esquerda, no setor das mulheres; tinham os rostos sérios.

— Esperem até amanhã — disse o Escolar. — Ao meio-dia vai estar mais claro. Assim podemos vigiar vocês.

— Já que viemos até aqui, que seja agora — disse o Melanés. — Eles mesmos podem se vigiar.

— Eu concordo — disse Rubén. — E você?

— Eu também — disse Miguel.

Quando ficaram nus, Tobías caçoou das veias azuis que escalavam a barriga lisa de Miguel. Desceram. A madeira dos degraus, lambida incessantemente pela água havia meses, estava escorregadia e muito suave. Segurando o corrimão de ferro para não cair, Miguel sentiu um tremor que subia da planta dos seus pés até o cérebro. Pensou que, de certa forma, a neblina e o frio o favoreciam, a vitória já não dependia da destreza, mas principalmente da resistência, e a pele de Rubén também estava roxa, pregueada com milhões de tendas minúsculas. Um degrau abaixo, o corpo harmonioso de Rubén se inclinou; tenso, aguardava o fim da agitação e a chegada da próxima onda, que vinha sem alarido, airosamente, expelindo à sua frente um bando de pedacinhos de espuma. Quando a crista da onda chegou a dois metros da escada, Rubén pulou: com os braços como lanças, o cabelo alvoroçado pela força do impulso, seu corpo cortou o ar em linha reta e caiu sem dobrar-se, sem abaixar a cabeça nem flexionar as pernas, ricocheteou na espuma, afundou ligeiramente e de imediato, aproveitando a corrente, deslizou para dentro; seus braços iam despontando e afundando em meio a um borbulhar frenético e seus pés traçavam uma esteira cuidadosa e muito veloz. Miguel, por sua vez, desceu mais um degrau e esperou a próxima onda. Sabia que ali não era muito fundo, que precisava jogar-se como uma tábua, duro e rígido, sem mexer um músculo, senão bateria contra as pedras. Fechou os olhos e pulou, e não encontrou o fundo, mas seu corpo foi açoitado da testa até os joelhos, e sentiu uma ardência fortíssima enquanto dava braçadas com toda a força para devolver aos seus membros o calor que a água havia arrebatado de repente. Estava nessa estranha parte do mar de Miraflores próxima à margem, onde o refluxo e as ondas se encontram e há redemoinhos e correntes contrapostas, e o último verão já estava tão longe que Miguel já havia esquecido como passar por ali sem esforço. Não lembrava que é preciso relaxar o corpo e deixar-se levar, ficar submissamente à deriva, só dar braçadas quando pega uma onda e está em cima da crista, nessa prancha líquida que a espuma escolta e que flutua acima da correnteza. Não lembrava que convém aguentar com paciência e certa malícia esse primeiro contato com o mar exasperado da beira que puxa os membros e esguicha na boca e nos olhos, não oferecer resistência, ser uma rolha, limitar-se a inspirar cada vez que uma onda se aproxima, mergulhar — ligeiramente se ela estourou longe e chega sem ímpeto, ou até o fundo se a explosão foi próxima —, agarrar-se em alguma pedra e esperar atento o estrondo surdo da sua passagem, para emergir com um impulso e continuar avançando, discretamente, usar as mãos, até encontrar um novo obstáculo e então relaxar, não lutar contra os redemoinhos, girar voluntariamente na espiral lentíssima e de repente escapar, no momento oportuno, com uma única braçada. Depois, surge subitamente uma superfície calma, estremecida por ondulações inofensivas; a água é clara, lisa, e em alguns pontos se veem as opacas pedras submarinas.

Depois de atravessar a zona agitada, Miguel parou, exausto, e respirou. Viu Rubén a pouca distância, olhando para ele. O cabelo lhe caía sobre a testa em franja; estava com os dentes crispados.

— Vamos?

— Vamos.

Após nadar alguns minutos, Miguel sentiu que o frio, momentaneamente desaparecido, o invadia de novo, e apressou as pernadas porque era nas pernas, principalmente nas panturrilhas, que a água agia com mais eficácia, insensibilizando-as primeiro, depois endurecendo-as. Nadava com o rosto submerso e, toda vez que o braço direito estava fora da água, virava a cabeça para eliminar o ar retido e absorver nova provisão com a qual afundava de novo a testa e o queixo, só um pouco, para não frear seu próprio avanço e, ao contrário, fender a água como uma proa para facilitar o deslizamento. A cada braçada via com um dos olhos Rubén nadando na superfície, suavemente, sem esforço, agora sem fazer espuma, com a delicadeza e a facilidade de uma gaivota planando. Miguel tentava esquecer Rubén e o mar e a arrebentação (que ainda devia estar longe, pois a água era limpa, sossegada, só atravessavam ondas recém-formadas), queria lembrar-se unicamente do rosto de Flora, da penugem dos seus braços que nos dias de sol cintilava como um diminuto bosque de fios de ouro, mas não podia evitar que a imagem da garota fosse substituída por outra, brumosa, excludente, ensurdecedora, que caía sobre Flora e a escondia, a imagem de uma montanha de água enfurecida, não exatamente a arrebentação (aonde tinha chegado uma vez, dois verões atrás, e cujo fluxo era intenso, de espuma esverdeada e preta, porque nesse ponto, mais ou menos, terminavam as pedras e começava a lama que as ondas traziam à superfície e misturavam com os ninhos de algas e águas-vivas, tingindo o mar), mas, sim, um verdadeiro oceano agitado por cataclismos internos, onde se levantavam ondas descomunais que poderiam abraçar um navio inteiro e o virariam com uma rapidez assombrosa, jogando pelos ares passageiros, botes, mastros, velas, boias, marinheiros, escotilhas e bandeiras.

    Parou de nadar, seu corpo afundou até ficar na vertical, ergueu a cabeça e viu que Rubén estava se afastando. Pensou em chamá-lo com qualquer pretexto, dizer-lhe "por que não descansamos um pouco", mas não o fez. Todo o frio do seu corpo parecia estar concentrado nas panturrilhas, sentia os músculos duros, a pele repuxada, o coração acelerado. Mexeu os pés febrilmente. Estava no centro de um círculo de água escura, amuralhado pela neblina. Tentou distinguir a praia, ou pelo menos a sombra das montanhas, mas a gaze equívoca que ia se dissolvendo à sua passagem não era transparente. Só via uma superfície curta, verde e preta, e um manto de nuvens no nível da água. Então, sentiu medo. Foi absorvido pela lembrança da cerveja que tinha bebido e pensou, "aposto que isso me deixou fraco". Nesse momento parecia que seus braços e suas pernas não existiam mais. Decidiu voltar, mas, depois de umas braçadas em direção à praia, deu meia-volta e nadou o mais rápido que pôde. "Não chego à margem sozinho", dizia para si mesmo, "melhor ficar perto de Rubén, se eu não aguentar digo a ele: Você ganhou, vamos voltar". Agora nadava sem estilo, com a cabeça levantada, batendo na água com os braços duros, o olhar fixo no corpo imperturbável que o precedia.

    A agitação e o esforço desintumesceram as suas pernas, o corpo recuperou um pouco de calor, a distância que o separava de Rubén tinha diminuído, e isso o serenou. Pouco depois o alcançava; esticou um braço, segurou um dos seus pés. Instantaneamente o outro parou. Rubén estava com as pupilas muito vermelhas e a boca aberta.

    — Acho que nos desviamos — disse Miguel. — Parece que estamos nadando em paralelo à beira.

    Seus dentes batiam, mas a voz era segura. Rubén olhou para todos os lados. Miguel o observava, tenso.

    — Não se vê mais a praia — disse Rubén.

— Há muito tempo que não se vê — disse Miguel.

— A neblina está muito forte.

— Não nos desviamos — disse Rubén. — Olhe. Já se vê espuma.

De fato, chegavam até eles umas ondas condecoradas com uma orla de espuma que se desfazia e, repentinamente, se refazia. Os dois se olharam, em silêncio.

— Então já estamos perto da arrebentação — disse, afinal, Miguel.

— Sim. Nadamos rápido.

— Nunca tinha visto tanta neblina.

— Está muito cansado? — perguntou Rubén.

— Eu? Você está doido. Vamos em frente

De imediato lamentou essa frase, mas já era tarde. Rubén tinha dito "certo, vamos".

Chegou a contar vinte braçadas antes de admitir que não aguentava mais: quase não avançava, sua perna direita estava semi-imobilizada pelo frio, sentia os braços entorpecidos e pesados.

Ofegante, gritou "Rubén!". Este continuava nadando. "Rubén, Rubén!" Girou e começou a nadar em direção à praia, ou melhor, a chapinhar, com desespero, e de repente rogava a Deus que o salvasse, seria outro no futuro, obedeceria aos seus pais, não faltaria à missa de domingo, e então se lembrou de ter confessado aos gaviões "vou à igreja só para ver uma mulherzinha" e teve uma certeza que foi como uma punhalada: Deus ia castigá-lo, afogando-o nessas águas turvas que espancava frenético, águas sob as quais o esperava uma morte atroz e depois, talvez, o inferno. Em sua angústia surgiu então, como um eco, uma frase pronunciada certa vez pelo padre Alberto na aula de religião, sobre a bondade divina que não tem limites, e enquanto açoitava o mar com os braços — as pernas pendiam como chumbadas transversais —, movendo os lábios implorou a Deus que fosse bom com ele, que era tão jovem, e jurou que iria para o seminário caso se salvasse, mas um segundo depois retificou, assustado, e prometeu que em vez de virar padre faria penitências e outras coisas, daria esmolas, e aí descobriu que a vacilação e o regateio naquele instante crítico podiam ser fatais e foi então que ouviu os gritos enlouquecidos de Rubén, muito próximos, e girou a cabeça e o viu, a uns dez metros, meia cara afundada na água, sacudindo um braço, implorando: "Miguel, irmãozinho, venha, estou me afogando, não vá embora!"

Ficou perplexo, imóvel, e de repente foi como se o desespero de Rubén fulminasse o seu; sentiu que recuperava a coragem, a tensão das suas pernas se atenuava.

— Estou com cãibra na barriga — gritava Rubén.
— Não aguento mais, Miguel, me salve, pelo amor de Deus, não me deixe, irmãozinho.

Flutuou em direção a Rubén, e já estava perto dele quando se lembrou, os náufragos só atinam a agarrar-se como tenazes nos seus salvadores e os afundam junto com eles, e se afastou, mas os gritos o apavoraram e pressentiu que se Rubén se afogasse ele tampouco chegaria à praia, e voltou. A dois metros de Rubén, que afundava e emergia, muito branco e encolhido, gritou: "Não se mexa, Rubén, vou puxá-lo mas não tente me segurar, se você me segurar nós afundamos. Rubén, fique quieto, irmãozinho, vou rebocar você pela cabeça, não me toque." Parou a uma distância prudente, estendeu a mão até alcançar o cabelo de Rubén. Começou a nadar com o braço livre, esforçando-se ao máximo para tomar impulso com as pernas. Deslizava lenta, penosamente, concentrava todos os seus sentidos, mal ouvia Rubén gemer monotonamente, de repente soltar berros terríveis, "Vou morrer, me salve, Miguel", ou estremecer com os espasmos. Estava exausto quando parou. Segurava Rubén com uma das mãos, com a outra traçava círculos na superfície. Respirou fundo pela boca. Rubén tinha o rosto contraído pela dor, os lábios virados numa careta insólita.

— Irmãozinho — sussurrou Miguel —, já falta pouco, faça um esforço. Responda, Rubén. Grite. Não fique assim.

Esbofeteou-o com força e Rubén abriu os olhos; moveu a cabeça lentamente.

— Grite, irmãozinho — repetiu Miguel. — Tente se esticar. Vou fazer uma massagem na sua barriga. Falta pouco, não se deixe vencer.

Sua mão tateou debaixo da água, encontrou uma bola dura que nascia no umbigo de Rubén e ocupava grande parte da barriga.

Tocou-a, muitas vezes, primeiro devagar, depois com força, e Rubén gritou: "Não quero morrer, Miguel, me salve!"

Começou a nadar outra vez, agora arrastando Rubén pelo queixo. Sempre que uma onda os surpreendia, Rubén engasgava e Miguel lhe gritava que cuspisse. E continuou nadando, sem parar um instante, às vezes fechando os olhos, animado porque em seu coração havia brotado uma espécie de confiança, uma coisa quente e orgulhosa, estimulante, que o protegia contra o frio e o cansaço. Uma pedra raspou um de seus pés, ele deu um grito e se apressou. Segundos depois estava em pé e passava os braços em volta de Rubén. Apertando-o contra si, com a cabeça apoiada num dos seus ombros, descansou por um bom tempo. Depois ajudou Rubén a deitar de costas e, sustentando-o com o antebraço, obrigou-o a esticar os joelhos; massageou em sua barriga até que a dureza foi cedendo. Rubén não gritava mais, fazia um grande esforço para se relaxar por completo e com as mãos também se esfregava.

— Está melhor?

— Sim, irmãozinho, já estou bem. Vamos sair.

Uma alegria inexprimível os dominava enquanto avançavam pelas pedras, inclinados à frente para enfrentar o refluxo, insensíveis aos ouriços. Logo a seguir viram as arestas das escarpas, o prédio das cabines e, finalmente, já perto da margem, os gaviões, em pé na galeria das mulheres, olhando para eles.

— Escute — disse Rubén.

— Sim.

— Não diga nada. Por favor, não diga a eles que eu gritei. Sempre fomos muito amigos, Miguel. Não me faça isso.

— Acha que sou um canalha? — disse Miguel. — Não vou dizer nada, não se preocupe.

Saíram tiritando. Sentaram-se na escadinha, em meio ao alvoroço dos gaviões.

— Já íamos dar pêsames às famílias — dizia Tobías.

— Faz mais de uma hora que estão dentro da água — disse o Escolar. — Contem, como foi a coisa?

Falando com calma, enquanto enxugava o corpo com a camiseta, Rubén explicou:

— Nada. Chegamos até a arrebentação e voltamos. Nós, gaviões, somos assim. Miguel ganhou. Diferença de uma mão. Claro que se fosse numa piscina, ele teria caído no ridículo.

Nas costas de Miguel, que tinha se vestido sem enxugar-se, choveram palmadas de parabéns.

— Você está virando homem — dizia-lhe o Melanés.

Miguel não respondeu. Sorrindo, pensava que nessa mesma noite iria ao parque Salazar; toda Miraflores já saberia, pela boca do Melanés, que tinha vencido aquela prova heroica e Flora estaria à sua espera com os olhos brilhando. Abria-se, à sua frente, um futuro dourado.

# Um visitante

Os areais lambem a fachada do curral e terminam ali: do vão que serve de porta ou por entre os juncos, o olhar escorrega por uma superfície branca e lânguida até encontrar o céu. Atrás do curral, a terra é dura e áspera, e a menos de um quilômetro começam as serras brilhantes, cada uma mais alta que a anterior e estreitamente unidas; os picos se incrustam nas nuvens como agulhas ou lâminas. À esquerda, estreito, sinuoso, estendendo-se na beira da areia e crescendo sem trégua até desaparecer entre duas colinas, já bem longe do curral, fica o bosque; matagais, plantas selvagens e um capim seco e rasteiro que oculta tudo, o solo irregular, as cobras, os minúsculos pântanos. Mas o bosque é apenas um anúncio da selva, um simulacro: acaba no fim de uma ribanceira, ao pé de uma montanha maciça, atrás da qual se estende a verdadeira selva. E dona Merceditas sabe disso; uma vez, anos atrás, subiu até o vértice dessa montanha e de lá contemplou, com os olhos assombrados, através das manchas de nuvens que flutuavam aos seus pés, a plataforma verde, espalhada de alto a baixo, sem uma clareira.

Agora, dona Merceditas cochila deitada sobre dois sacos. A cabra, um pouco mais à frente, escarva a areia com o focinho, mastiga com empenho uma lasca de madeira ou bale para o ar morno da tarde. De repente, levanta as orelhas e fica tensa. A mulher entreabre os olhos:

— O que foi, Cuera?

O animal puxa a corda que o liga à estaca. A mulher se levanta, penosamente. A uns cinquenta metros, o homem se recorta nítido contra o horizonte, sua sombra o precede na areia. A mulher põe uma das mãos na testa como viseira.

Olha rapidamente em volta; depois fica imóvel. O homem já está bem perto; é alto, esquálido, muito moreno; tem o cabelo crespo e olhos zombeteiros. Sua camisa desbotada ondula sobre a calça de baeta, arregaçada até os joelhos. Suas pernas parecem dois tarugos pretos.

— Boa tarde, dona Merceditas — sua voz é melodiosa e sarcástica. A mulher empalideceu.

— O que você quer? — murmura.

— A senhora me reconhece, não é? Ora, isso é ótimo. Se não for incômodo, gostaria de comer alguma coisa. E beber. Estou com muita sede.

— Aí dentro há cerveja e frutas.

— Obrigado, dona Merceditas. A senhora é muito bondosa. Como sempre. Poderia vir comigo?

— Para quê? — a mulher olha com desconfiança para ele; é gorda e bastante madura, mas tem uma pele tersa; está descalça. — Você já conhece o curral.

— Ah! — diz o homem, em tom cordial. — Não gosto de comer sozinho. Dá tristeza.

A mulher vacila um instante. Depois anda até o curral, arrastando os pés na areia. Entra. Abre uma garrafa de cerveja.

— Obrigado, muito obrigado, dona Merceditas. Mas prefiro leite. Já que abriu a garrafa, por que não bebe?

— Não estou com vontade.

— Vamos, dona Merceditas, não seja assim. Beba à minha saúde.

— Não quero.

A expressão do homem se azeda.

— Ficou surda? Eu já lhe disse que beba esta garrafa. Saúde!

A mulher levanta a garrafa e bebe a cerveja lentamente, em pequenos goles. No balcão sujo e esburacado, brilha uma jarra de leite. O homem espanta com um tapa as moscas que voam à sua volta, levanta a jarra e bebe um longo gole. Seus lábios ficam cobertos por um buço de nata que a língua, segundos depois, apaga ruidosamente.

— Ah! — diz, lambendo-se. — Como esse leite estava bom, dona Merceditas. Na certa é de cabra, não é? Gostei muito. Já acabou a garrafa? Por que não abre outra? Saúde!

A mulher obedece sem protestar; o homem devora duas bananas e uma laranja.

— Olhe, dona Merceditas, não se faça de espertinha. A cerveja está escorrendo pelo seu pescoço. Vai molhar o vestido. Não desperdice as coisas assim. Abra outra garrafa e beba em homenagem a Numa. Saúde!

O homem continua repetindo "saúde" até ver quatro garrafas vazias no balcão. A mulher está com os olhos vidrados; arrota, cospe, senta em um saco de frutas.

— Meu Deus! — diz o homem. — Que mulher! A senhora é uma beberrona, dona Merceditas. Desculpe a franqueza.

— Isso que está fazendo com uma pobre velha vai lhe custar caro, Jamaicano. Você vai ver — está com a língua um pouco travada.

— É mesmo? — diz o homem, entediado. — Aliás, a que horas vem o Numa?

— Numa?

— Ah, a senhora é terrível, dona Merceditas, quando não quer entender as coisas! A que horas ele vem?

— Você é um negro sujo, Jamaicano. Numa vai matar você.

— Não diga essas palavras, dona Merceditas! — boceja. — Bem, acho que ainda temos um bom tempo. Certamente até a noite. Vamos tirar um cochilo, certo?

Levanta-se e sai. Vai até a cabra. O animal olha para ele com desconfiança. Desamarra-a. Volta ao curral fazendo a corda girar como uma hélice e assobiando: a mulher não está. No ato, desaparece a calma preguiçosa, lasciva dos seus gestos. Percorre o lugar aos pulos, xingando. Depois anda até o bosquezinho, seguido pela cabra. Esta descobre a mulher atrás de um arbusto, começa a lambê-la. O Jamaicano ri vendo os olhares rancorosos que a mulher dirige à cabra. Faz um gesto mínimo e dona Merceditas se encaminha para o curral.

— A senhora é mesmo uma mulher terrível, se é. Cada ideia que tem!

Amarra seus pés e suas mãos. Depois, carrega-a com facilidade e a larga em cima do balcão. Fica olhando para ela com malícia e, de repente, começa a fazer-lhe cócegas nas solas dos pés, que são enrugadas e largas. A mulher se contorce com as gargalhadas; seu rosto revela desespero. O balcão é estreito e, com as sacudidas, dona Merceditas se aproxima da beira: afinal rola pesadamente para o chão.

— Uma mulher terrível, se é! — repete. — Finge que está desmaiada e fica me espiando com um dos olhos. A senhora não tem jeito, dona Merceditas!

A cabra, com a cabeça enfiada no curral, olha a mulher, fixamente.

O relincho dos cavalos surge no fim da tarde; já está escurecendo. Dona Merceditas levanta o rosto e escuta, com os olhos bem abertos.

— São eles — diz o Jamaicano. Levanta-se num pulo. Os cavalos continuam relinchando e escoiceando. Na porta do curral, o homem grita, colérico:

— O senhor ficou maluco, tenente? Ficou maluco?

Numa curva do morro, detrás de umas pedras, surge o tenente; é pequeno e rechonchudo: usa botas de montar, seu rosto está suado.

Olha cautelosamente.

— Ficou maluco? — repete o Jamaicano. — O que há com o senhor?

— Não levante a voz comigo, negro — diz o tenente. — Nós acabamos de chegar. O que está acontecendo?

— Como, o que está acontecendo? Mande o seu pessoal levar os cavalos para longe. Não conhece o seu ofício?

O tenente fica vermelho.

— Você ainda não está livre, negro — diz. — Mais respeito.

— Esconda os cavalos e corte a língua deles, se quiser. Mas sem fazer barulho. E espere lá. Eu lhe darei o sinal — o Jamaicano abre a boca e o sorriso que se desenha no seu rosto é insolente. — Não entende que agora tem que me obedecer?

O tenente hesita durante alguns segundos.

— Pobre de você se ele não vier — diz. E, virando a cabeça, ordena: — Sargento Lituma, esconda os cavalos.

— Às ordens, tenente — diz alguém, atrás da colina. Ouve-se um ruído de cascos. Depois, o silêncio.

— Assim é que eu gosto — diz o Jamaicano. — Sempre obediente. Muito bem, general. Bravo, comandante. Parabéns, capitão. Não saia desse lugar. Eu lhe dou o aviso.

O tenente mostra o punho e desaparece entre as pedras.

O Jamaicano entra no curral. Os olhos da mulher estão cheios de ódio.

— Traidor — murmura. — Você veio com a polícia. Maldito!

— Que educação, meu Deus, que educação a sua, dona Merceditas! Não vim com a polícia. Vim sozinho. Encontrei o tenente aqui. A senhora sabe.

— O Numa não vem — diz a mulher. — E os policiais vão levar você de volta para a cadeia. E quando sair, o Numa vai matá-lo.

— A senhora tem maus sentimentos, dona Merceditas, sem a menor dúvida. Que coisas me pressagia!

— Traidor — repete a mulher; tinha conseguido sentar-se e está muito tesa. — Você pensa que o Numa é bobo?

— Bobo? Nada disso. É uma águia de tão esperto. Mas não se desespere, dona Merceditas. Com certeza ele virá.

— Não vem. Ele não é como você. Tem amigos. Vão avisá-lo que a polícia está aqui.

— A senhora acha? Eu acho que não, porque não vai dar tempo. A polícia veio pelo outro lado, por trás dos morros. Eu cruzei o areal sozinho. Em todos os povoados perguntava: "Dona Merceditas continua no curral? Acabaram de me soltar e eu vou torcer o pescoço dela." Mais de vinte pessoas devem ter corrido para contar ao Numa. A senhora ainda acha que ele não vem? Meu Deus, que cara a senhora fez, dona Merceditas!

— Se acontecer alguma coisa com o Numa — balbucia a mulher, com voz rouca —, você vai lamentar a vida toda, Jamaicano.

O homem dá de ombros. Acende um cigarro e começa a assobiar. Depois vai até o balcão, pega a lamparina e a acende. Pendura-a em um dos juncos da porta.

— Está ficando escuro — diz. — Venha cá, dona Merceditas. Quero que o Numa veja a senhora sentada na porta, à sua espera. Ah, é verdade! A senhora não pode se mexer. Desculpe, é que sou muito esquecido.

Inclina-se e a pega nos braços. Vai deixá-la na areia, em frente ao curral. A luz da lamparina cai sobre a mulher e suaviza a pele do seu rosto: parece mais jovem.

— Por que você faz isso, Jamaicano? — a voz de dona Merceditas é, agora, fraca.

— Por quê? — diz o Jamaicano. — A senhora não esteve na cadeia, não é verdade, dona Merceditas? Os dias passam e não há nada o que fazer. A gente se chateia muito lá, eu lhe garanto. E se passa muita fome. Ah, eu estava esquecendo um detalhe. A senhora não pode ficar com a boca aberta, nem cogite em começar a gritar quando o Numa aparecer. Além do mais, poderia engolir uma mosca.

Ri. Revista o quarto e encontra um pano. Com ele enfaixa meio rosto de dona Merceditas. Observa-a por um bom tempo, divertido.

— Desculpe, mas tenho que lhe dizer que a senhora está com um aspecto muito confortável assim, dona Merceditas. Nem sei o que parece.


Na escuridão do fundo do curral, o Jamaicano se ergue como uma serpente: elasticamente e sem fazer ruído. Fica inclinado sobre si mesmo, as mãos apoiadas no balcão. Dois metros adiante, no cone de luz, a mulher está rígida, com o rosto para a frente, como se estivesse farejando o ar; ela também tinha ouvido. Foi um ruído leve mas muito claro, vindo da esquerda, que se destacou acima do canto dos grilos. Soa outra vez, mais prolongado: os galhos do bosquezinho rangem e quebram, qualquer coisa se aproxima do curral. "Não está sozinho", sussurra o Jamaicano. "Merda." Enfia a mão no bolso, pega o apito e o mete entre os lábios. Aguarda, sem se mexer. A mulher fica agitada e o Jamaicano xinga entre os dentes. Vê a mulher se contorcer e mover a cabeça como um pêndulo, tentando livrar-se da atadura. O barulho cessou: já estará na areia, que abafa as pisadas? A mulher está com o rosto virado para a esquerda e seus olhos, como os olhos de um iguana esmagado, sobressaem das órbitas. "Ela os viu", murmura o Jamaicano. Encosta a ponta da língua no apito: o metal é cortante. Dona Merceditas continua mexendo a cabeça e grunhe com angústia. A cabra dá um balido e o Jamaicano se esconde. Segundos depois vê uma sombra descendo sobre a mulher e um braço nu se estendendo até a atadura. Sopra com toda a força que tem enquanto pula sobre o recém-chegado. O apito povoa a noite como um incêndio e se perde entre os palavrões que explodem à direita e à esquerda, seguidos de passos precipitados. Os dois homens caíram em cima da mulher. O tenente é rápido: quando o Jamaicano se levanta, uma das suas mãos está segurando Numa pelo cabelo e a outra mantém o revólver encostado em sua têmpora. Quatro guardas com fuzis os rodeiam.

— Corram! — grita o Jamaicano para os guardas. — Os outros estão no bosque. Rápido! Eles vão fugir. Rápido!

— Parados! — diz o tenente. Não tira os olhos de Numa. Este, com o rabo do olho, tenta localizar o revólver. Parece sereno; suas mãos pendem de lado.

— Sargento Lituma, amarre-o.

Lituma deixa o fuzil no chão e desenrola a corda que tem na cintura. Amarra Numa pelos pés e depois o algema. A cabra se aproximou, e depois de cheirar as pernas de Numa começa a lambê-las, suavemente.

— Os cavalos, sargento Lituma.

O tenente enfia o revólver no coldre e se inclina em direção à mulher. Tira a atadura e as amarras. Dona Merceditas se levanta, enxota a cabra com uma pancada no lombo e se aproxima de Numa. Passa a mão por sua testa, sem dizer nada.

— O que ele lhe fez? — diz Numa.

— Nada — diz a mulher. — Quer fumar?

— Tenente — insiste o Jamaicano. — O senhor não percebe que os outros estão ali mesmo, no bosque? Não os ouviu? Devem ser uns três ou quatro, pelo menos. O que está esperando para mandar buscá-los?

— Silêncio, negro — diz o tenente, sem olhar para ele. Risca um fósforo e acende o cigarro que a mulher pôs na boca de Numa. Este começa a dar longas tragadas; aperta o cigarro entre os dentes e solta a fumaça pelo nariz. — Eu só vim buscar este aqui. Mais ninguém.

— Muito bem — diz o Jamaicano. — Pior para o senhor se não conhece o seu ofício. Eu já fiz a minha parte. Estou livre.

— Sim — diz o tenente. — Está livre.

— Os cavalos, meu tenente — diz Lituma. Está segurando as rédeas de cinco animais.

— Ponha-o no seu cavalo, Lituma — diz o tenente. — Ele vai com você.

O sargento e o outro guarda carregam Numa e o sentam no cavalo, depois de desamarrar seus pés. Lituma monta a seguir. O tenente se aproxima dos cavalos e pega as rédeas do seu.

— Escute, tenente, com quem eu vou?

— Você? — diz o tenente, com um pé no estribo.

— Você?

— Sim, eu — diz o Jamaicano. — Quem mais podia ser?

— Você está livre — diz o tenente. — Não precisa vir conosco. Pode ir para onde quiser.

Lituma e os outros guardas, montados nos cavalos, riem.

— Que brincadeira é essa? — diz o Jamaicano. Sua voz treme. — Não vai me deixar aqui, não é mesmo, tenente? O senhor está ouvindo esses ruídos ali no bosque. Eu me portei bem. Cumpri o que prometi. Não pode fazer isso comigo.

— Se sairmos logo, sargento Lituma — diz o tenente —, chegamos a Piura ao amanhecer. Pelo areal é melhor viajar de noite. Os animais se cansam menos.

— Tenente — grita o Jamaicano; está com as rédeas do cavalo do oficial nas mãos e as sacode, frenético. — O senhor não vai me deixar aqui! Não pode fazer uma maldade dessas!

O tenente tira um dos pés do estribo e empurra o Jamaicano para longe.

— Vamos ter que galopar de vez em quando — diz o tenente. — Acha que vai chover, sargento Lituma?

— É difícil, tenente. O céu está claro.

— Não pode ir embora sem mim! — clama o Jamaicano, em altos brados.

Dona Merceditas começa a rir, às gargalhadas, segurando a barriga.

— Vamos — diz o tenente.

— Tenente! — grita o Jamaicano. — Tenente, eu estou lhe implorando!

Os cavalos se afastam, devagar. O Jamaicano observa, atônito. A luz da lamparina ilumina o seu rosto transfigurado. Dona Merceditas continua rindo estrondosamente. De repente, faz silêncio. Leva as mãos à boca, como uma buzina.

— Numa! — grita. — Vou levar frutas para você aos domingos.

Depois, recomeça a rir, bem alto. No bosquezinho brota um rumor de galhos e folhas secas se quebrando.

# O avô

Toda vez que um galhinho rangia, ou uma rã coaxava, ou vibravam os vidros da janela da cozinha que ficava nos fundos do pomar, o velhinho pulava com agilidade do seu banco improvisado, que era uma pedra chata, e espiava ansiosamente por entre a folhagem. Mas o menino não aparecia. Através das janelas da sala, abertas para a pérgula, só via as luzes do lustre acesas havia um bom tempo, e abaixo delas sombras imprecisas deslizando de um lado para o outro, com as cortinas, lentamente. Tinha a vista fraca desde jovem, de modo que eram inúteis seus esforços para descobrir se já estavam jantando ou se aquelas sombras inquietas eram das árvores mais altas.

Voltou ao seu lugar e esperou. Na noite anterior tinha chovido e a terra e as flores exalavam um agradável cheiro de umidade. Mas os insetos pululavam, e os safanões desesperados de dom Eulogio em torno do rosto não conseguiam evitá-los: lancetas invisíveis chegavam sem cessar ao seu queixo trêmulo, à sua testa, e até as cavidades de suas pálpebras, para perfurar-lhe a carne. O entusiasmo e a excitação que mantiveram o seu corpo disposto e febril durante o dia haviam decaído, e agora sentia cansaço e um pouco de tristeza. Estava incomodado com a escuridão do vasto jardim e atormentado pela imagem, persistente, humilhante, de alguém, talvez a cozinheira ou o mordomo, que de repente o surpreendesse em seu esconderijo. "O que o senhor está fazendo no pomar a estas horas, dom Eulogio?" E viriam seu filho e sua nora, convencidos de que estava doido. Sacudido por um tremor nervoso, virou a cabeça e adivinhou, entre os maciços de crisântemos, nardos e roseiras, o diminuto caminho que levava à porta falsa desviando-se do pombal. Só se acalmou ao se lembrar de ter verificado três vezes que a porta estava fechada, com o trinco puxado, e que poderia escapar em poucos segundos para a rua sem ser visto. "E se já tiver vindo?", pensou, inquieto. Porque houve um instante, poucos minutos depois de entrar cautelosamente na casa pela porta quase esquecida do pomar, em que perdeu a noção do tempo e quase dormiu. Só reagiu quando o objeto que estava acariciando agora sem notar se soltou das suas mãos e bateu na coxa. Mas era impossível. O menino ainda não podia ter atravessado o pomar, porque seus passos assustados o teriam acordado ou então o pequeno, ao ver seu avô encolhido e dormitando justamente na beira do caminho que devia conduzi-lo à cozinha, teria gritado.

Essa reflexão o animou. O vento era menos forte, seu corpo se adaptava ao ambiente, tinha parado de tremer. Apalpando os bolsos do casaco, encontrou o corpo duro e cilíndrico da vela que aquela tarde comprara no armazém da esquina. Jubiloso, o velhinho sorriu na penumbra: rememorava o gesto de surpresa da vendedora. Ele tinha permanecido muito sério, batendo o pé com elegância, tamborilando levemente e em círculo com sua longa bengala laminada em metal, enquanto a mulher passava círios e velas de diversos tamanhos ante os seus olhos. "Esta", disse ele, com um gesto rápido que pretendia significar contrariedade com a tarefa desagradável que realizava. A vendedora insistiu em embrulhá-la, mas dom Eulogio não aceitou e saiu da loja às pressas. Passou o resto da tarde no Clube Nacional, trancado no pequeno salão de jogos onde nunca havia ninguém. Mesmo assim, levando ao extremo as precauções para evitar a solicitude dos garçons, fechou a porta à chave. Depois, confortavelmente esparramado numa poltrona de estranha cor escarlate, abriu a pasta que trouxera e tirou o precioso pacote. Ela estava embrulhada no seu lindo cachecol de seda branca, exatamente o mesmo que usava na tarde da descoberta.

Na hora mais cinzenta do crepúsculo tomara um táxi, dizendo ao chofer que circulasse pelos arredores da cidade; soprava uma deliciosa brisa morna, e a visão entre cinzenta e avermelhada do céu seria mais enigmática no campo. Enquanto o carro flutuava com suavidade pelo asfalto, os olhinhos vivazes do velho, único sinal de agilidade no seu rosto flácido, desabado em dobras, iam deslizando distraidamente pela beira do canal paralelo à estrada, quando de repente viu.

"Pare!", disse, mas o motorista não ouviu. "Pare! Pare!" Quando o carro parou e, de ré, chegaram ao montinho de pedras, dom Eulogio verificou que se tratava, de fato, de uma caveira. Segurando-a entre as mãos, esqueceu a brisa e a paisagem e estudou minuciosamente, com uma ansiedade crescente, aquela dura, teimosa e hostil forma impenetrável, despojada de carne e de pele, sem nariz, sem olhos, sem língua. Era pequena, e ficou inclinado a pensar que era de uma criança. Estava suja, empoeirada, e o crânio pelado era ferido por uma abertura do tamanho de uma moeda, com as bordas lascadas. O orifício do nariz era um triângulo perfeito, separado da boca por uma ponte fina e menos amarela que o queixo. Distraiu-se passando um dedo pelos buracos vazios, cobrindo o crânio com a mão em forma de boné, ou enfiando o punho pela cavidade de baixo, até apoiá-lo no seu interior; então, empurrando o nó de um dedo pelo triângulo e outro pela boca como uma longa e incisiva lingueta, imprimiu movimentos sucessivos à mão, e se divertia enormemente imaginando que aquilo estava vivo.

Depois a escondeu por dois dias numa gaveta da cômoda, engordando a pasta de couro, cuidadosamente embrulhada, sem revelar a ninguém o seu achado. Na tarde seguinte ao encontro permaneceu no quarto, andando nervosamente entre os móveis opulentos dos seus antepassados. Quase não levantava a cabeça; parecia examinar com profunda devoção e um pouco de pavor os desenhos sangrentos e mágicos do círculo central do tapete, mas nem sequer os via. A princípio ficou indeciso, preocupado; podia haver complicações de família, talvez rissem dele. Essa ideia deixou-o indignado, sentiu angústia e vontade de chorar. A partir desse momento, o projeto só se afastou uma vez da sua mente: foi quando, em pé diante da janela, viu o pombal escuro, cheio de buracos, e lembrou que em outros tempos aquela casinha de madeira com inúmeras portas não estava vazia, sem vida, mas habitada por animaizinhos cinzentos e brancos que bicavam com insistência traçando sulcos na madeira e, às vezes, voavam sobre as árvores e as flores do pomar. Pensou com nostalgia como eram fracos e carinhosos: vinham confiantemente pousar na sua mão, onde sempre lhes dava uns grãos, e quando fazia pressão os bichinhos entrefechavam os olhos e eram sacudidos por um rápido tremor. Depois não pensou mais nisso. Quando o mordomo veio lhe avisar que o jantar estava servido, já havia decidido. Essa noite dormiu bem. Na manhã seguinte esqueceu que sonhara que uma perversa fila de grandes formigas vermelhas de repente invadia o pombal e provocava inquietação entre os pombos, enquanto ele, da sua janela, observava a cena com binóculos.

Tinha imaginado que limpar a caveira seria coisa rápida, mas se enganou. O pó, aquilo que julgara ser pó e era talvez excremento por seu cheiro picante, continuava soldado às paredes internas e brilhava como uma lâmina de metal na parte de trás do crânio. À medida que a seda branca do cachecol se cobria de manchas cinzentas, sem que desaparecesse a camada de sujeira, a excitação de dom Eulogio ia crescendo. Em dado momento, indignado, jogou a caveira no chão, mas antes que ela parasse de rolar tinha se arrependido e já estava fora do assento, engatinhando pelo chão até pegá-la e levantá-la com cuidado. Imaginou então que a limpeza seria possível utilizando alguma substância gordurosa. Pelo telefone pediu à cozinha uma lata de azeite e esperou na porta o garçom, de cujas mãos arrancou a lata com violência, sem ligar para o olhar assustado que tentou percorrer o quarto por cima do seu ombro. Cheio de inquietação, embebeu o cachecol em azeite e, primeiro com suavidade, depois acelerando o ritmo, raspou até se exasperar. Logo descobriu entusiasmado que o remédio era eficaz; uma tênue chuva de pó caiu aos seus pés, e ele nem notava que o azeite também ia umedecendo seus punhos e a manga do casaco. Subitamente se levantou num pulo e admirou a caveira que segurava acima da cabeça, limpa, resplandecente, imóvel, com uns pontinhos que pareciam de suor na superfície ondulante dos pômulos. Embrulhou-a de novo, amorosamente; fechou a pasta e saiu do Clube Nacional. O carro que tomou na praça San Martín deixou-o atrás da sua casa, em Orrantia. Havia anoitecido. Parou um instante na fria penumbra da rua, com receio de que a porta estivesse fechada. Nervoso, esticou o braço e deu um pulo de felicidade ao ver que a maçaneta girava e a porta cedia com um curto rangido.

Nesse momento ouviu vozes na pérgula. Estava tão ensimesmado que tinha até esquecido o motivo daquele esforço febril. As vozes, o movimento, foram tão imprevistos que seu coração parecia um balão de oxigênio conectado a um moribundo. Seu primeiro impulso foi agachar-se, mas o fez de mau jeito, escorregou na pedra e caiu de bruços. Sentiu uma dor aguda na testa e um sabor desagradável de terra molhada na boca, mas não fez qualquer esforço para levantar-se e continuou ali, meio sepultado pelo capim, respirando com dificuldade, tremendo. Na queda teve tempo de erguer a mão que segurava a caveira, de modo que esta permaneceu no ar, a poucos centímetros do chão, ainda limpa.

A pérgula ficava a vinte metros do seu esconderijo, e dom Eulogio ouvia as vozes como um delicado murmúrio, sem distinguir o que diziam. Levantou-se com dificuldade. Espiando, viu então, pelo arco das grandes macieiras cujas raízes tocavam na base da sala, uma silhueta clara e esbelta, e percebeu que era o seu filho. Ao seu lado havia outra silhueta, mais nítida e menor, reclinada com certo abandono. Era a mulher. Piscando, esfregando os olhos, tentou agoniadamente, mas em vão, divisar o menino. Então o ouviu rir: uma risada cristalina de criança, espontânea, integral, que cruzava o jardim como um bichinho. Não esperou mais; tirou a vela do bolso do casaco, no escuro juntou galhos, torrões e pedrinhas, e trabalhou rapidamente até firmar a vela nas pedras e deixá-la, como um obstáculo, no meio do caminho. Depois, com extrema delicadeza, para evitar que a vela perdesse o equilíbrio, colocou a caveira em cima. Tomado de grande excitação, unindo suas pestanas ao maciço objeto azeitado, ficou contente: a medida era exata, pelo orifício aparecia o pontinho branco da vela, como um nardo. Não pôde continuar observando. O pai tinha levantado a voz e, embora suas palavras ainda fossem incompreensíveis, percebeu que se dirigiam ao menino. Houve uma troca de palavras entre as três pessoas: a voz grossa do pai, cada vez mais enérgica, o rumor melodioso da mulher, os curtos gritinhos destemperados do neto. Os sons se interromperam de repente. O silêncio foi brevíssimo; o neto o fulminou, gritando: "Mas que fique bem claro: hoje termina o castigo. Você disse sete dias, e hoje é o último. Amanhã não vou mais." Junto com essas palavras, ouviu passos precipitados.

Vinha correndo? Era o momento decisivo; dom Eulogio venceu a aflição que o estrangulava e concluiu o seu plano. O primeiro fósforo só produziu um fugaz tracinho azul. O segundo acendeu bem. Queimando as unhas, mas sem sentir dor, segurou-o junto à caveira, mesmo segundos depois de constatar que a vela já estava acesa. Ainda hesitava, porque o que estava vendo não era exatamente o que tinha imaginado, quando uma labareda súbita cresceu entre as suas mãos com um rangido seco, como uma pisada na folhagem, e então a caveira ficou totalmente iluminada, soltando fogo pelas órbitas, pelo crânio, pelo nariz e pela boca. "Acendeu toda", exclamou maravilhado. Ficou imóvel, repetindo como um disco arranhado "foi o azeite, foi o azeite", estupefato, enfeitiçado por aquela fascinante caveira envolta em chamas.

Justamente nesse instante ouviu o grito. Um grito selvagem, um alarido de animal transpassado por muitíssimos dardos. O menino estava à sua frente, as mãos estendidas, os dedos crispados. Lívido, trêmulo, tinha os olhos e a boca muito abertos e agora estava mudo e rígido, mas sua garganta, independentemente, fazia uns estranhos sons roucos. "Ele me viu, ele me viu", dizia dom Eulogio, em pânico. Mas ao olhá-lo ele percebeu logo que não o tinha visto, que a única coisa que seu neto podia ver era aquela cabeça flamejante. Seus olhos estavam imobilizados, havia um terror profundo e eterno retratado neles. Tudo havia sido simultâneo: a labareda, o grito, a visão daquela figura de calças curtas subitamente possuída pelo terror. Pensava entusiasmado que os acontecimentos tinham sido até mais perfeitos que o seu plano, quando ouviu vozes e passos se aproximando e então, já sem preocupar-se com o barulho, deu meia-volta e, aos pulos, afastando-se do caminho, destroçando com os pés os canteiros de crisântemos e roseiras que vislumbrava à medida que os reflexos do fogo os alcançavam, percorreu o espaço que o separava da porta. Atravessou-a junto com o grito da mulher, também estrondoso, mas menos sincero que o do neto. Não parou, não virou a cabeça. Na rua, um vento frio alisou sua testa e seus escassos cabelos, mas não o sentiu e continuou andando, devagar, com o ombro encostado no muro do pomar, sorrindo satisfeito, respirando melhor, mais tranquilo.

# Os filhotes

*À memória de Sebastián Salazar Bondy*

I

Ainda usavam calças curtas naquele ano, ainda não fumávamos, entre todos os esportes preferiam o futebol e estávamos aprendendo a pegar ondas, a mergulhar do segundo trampolim do Terrazas, e eram levados, imberbes, curiosos, muito ágeis, vorazes. Naquele ano, quando Cuéllar entrou no Colégio Champagnat.
　　　Irmão Leoncio, é verdade que vem um aluno novo?, para o terceiro A, irmão? Sim, o irmão Leoncio afastava a franja que cobria seu rosto com um safanão, agora silêncio.
　　　Apareceu certa manhã, na hora da fila, pela mão do pai, e o irmão Lucio colocou-o na frente porque era ainda mais baixo que Rojas, e na sala o irmão Leoncio sentou-o lá atrás, junto conosco, naquela carteira vazia, rapazinho. Como se chamava? Cuéllar, e você? Choto, e você? Chingolo, e você? Mañuco, e você? Lalo. De Miraflores? Sim, desde o mês passado, antes morava em Santo Antonio e agora na Mariscal Castilla, perto do cinema Colina.
　　　Era caxias (mas não puxa-saco): na primeira semana tirou o quinto lugar e na seguinte o terceiro e depois sempre primeiro até o acidente, então começou a relaxar e a tirar notas ruins. Os catorze incas, Cuéllar, dizia o irmão Leoncio, e ele os recitava sem respirar, os Mandamentos, as três estrofes do hino marista, a poesia "Minha bandeira" de López Albújar: sem respirar. Que crânio, Cuéllar, dizia Lalo e o irmão muito boa memória, jovenzinho, e para nós, aprendam, velhacos! Ele lustrava as unhas na lapela do paletó e olhava a sala toda por cima do ombro, muito prosa (de mentira, no fundo não era

metido, só um pouco louquinho e brincalhão. E, além disso, bom colega. Sempre nos dava cola nos exames e nos recreios oferecia pirulitos, ricaço, puxa-puxas, que sortudo, Choto lhe dizia, você ganha mais mesada que nós quatro juntos, e ele pelas boas notas que tirava, e nós ainda bem que você é boa gente, caxias, era isso o que o salvava).

As aulas do primário terminavam às quatro, às quatro e dez o irmão Lucio mandava romper fileiras e às quatro e quinze estavam no campo de futebol. Jogavam as pastas na grama, os casacos, as gravatas, rápido, Chingolo, rápido, vá para o gol antes que alguém tome conta, e no canil o Judas ficava doido, au, levantava o rabo, au, au, mostrava os caninos, au au au, dava saltos mortais, au au au au, sacudia os arames. Vai ser o diabo se um dia ele escapar, dizia Chingolo, e Mañuco se escapar temos que ficar parados, os dinamarqueses só mordiam quando sentiam que estão com medo deles, quem lhe disse isso?, meu velho, e Choto eu subiria em cima da trave, assim ele não me alcançaria, e Cuéllar tirava seu punhalzinho e zás, liquidava o bicho, cortava e enterravaaaaauuuu, olhando para o céu, aaaauuuuu, as duas mãos na boca, auauauauauuuuuu: como gritava Tarzan? Só jogavam até as cinco, porque a essa hora o ginásio saía e os grandes nos expulsavam do campo por bem ou por mal. De língua de fora, sacudindo a roupa e suando recolhiam livros, casacos e gravatas e íamos para a rua. Desciam pela Diagonal dando passes de basquete com as pastas, pega esta, filhinho, atravessávamos o parque na altura de Las Delicias, peguei!, viu, filhinha?, e no armazém da esquina da D'Onofrio comprávamos casquinhas, de baunilha?, mistas?, sirva um pouco mais, caboclo, não nos roube, um pouquinho de limão, pão-duro, uma lambuja de morango. E depois continuavam descendo a Diagonal, o Violino Cigano, sem falar, a rua Porta, absortos com os sorvetes, um sinal de trânsito, shhp chupando shhhp e pulando até o edifício San Nicolás e ali Cuéllar se despedia, rapaz, não vá embora ainda, vamos ao Terrazas, pediriam a bola ao Chinês, ele não queria jogar pela seleção da turma?, irmão, para isso teria que treinar um pouco, venha vamos ande, só até as seis, uma pelada de salão no Terrazas, Cuéllar. Não podia, seu pai não deixava, tinha que fazer os deveres. Os outros o acompanhavam até sua casa, como ia entrar no time da turma se não treinava?, e afinal acabávamos indo ao Terrazas sozinhos. Boa gente mas muito caxias, dizia Choto, de tanto estudar se descuida do esporte, e Lalo não era culpa dele, o velho devia ser um chato, e Chingolo claro, ele morria de vontade de vir com eles, e Mañuco assim seria difícil entrar no time, não tinha físico, nem chute, nem resistência, cansava logo, nem nada. Mas cabeceia bem, dizia Choto, e além do mais era nosso parceiro, tinha que entrar no time de qualquer maneira dizia Lalo, e Chingolo para que continue conosco e Mañuco sim, ia entrar, se bem que a coisa seria difícil!

Mas Cuéllar, que era teimoso e morria de vontade de jogar no time, treinou tanto no verão que no ano seguinte ganhou a posição de meia-esquerda na seleção da turma: *mens sana in corpore sano*, dizia o irmão Agustín, estávamos vendo?, pode-se ser bom esportista e aplicado nos estudos, que seguíssemos o seu exemplo. Como você fez?, perguntava Lalo, de onde vem essa cintura, esses passes, essa fome de bola, esses chutes no ângulo? E ele: seu primo Chispas o tinha treinado e seu pai o levava ao estádio todo domingo e então, vendo os craques, aprendia todos os truques, entendíamos? Tinha passado três meses sem ir à matinê nem à praia, só assistindo e jogando futebol de manhã e de tarde, vejam estas panturrilhas, não ficaram duras? Sim, melhorou muito, dizia Choto ao irmão Lucio, é verdade, e Lalo é um atacante ágil e trabalhador, e Chingolo como organizava bem o ataque e, acima de tudo, não perdia a moral, e Mañuco, viu como recua para buscar a bola quando o adversário está atacando, irmão Lucio?, ele tem que entrar no time. Cuéllar ria feliz, soprava as unhas e lustrava-as na camiseta do quarto A, mangas brancas e peito azul: pronto, dizíamos, já botamos você no time mas não fique mascarado.

Em julho, para o campeonato interséries, o irmão Agustín autorizou o time de quarto A a treinar duas vezes por semana, às segundas e sextas-feiras, nas horas de desenho e de música. Depois do segundo recreio, quando o pátio ficava vazio, molhadinho pela garoa, lustroso como uma chuteira novinha, os onze selecionados desciam para o campo, vestíamos o uniforme e, de chuteira e agasalho pretos, saíam do vestiário em fila indiana, a passo ginástico, encabeçados por Lalo, o capitão. Em todas as janelas das salas de aula apareciam rostos invejosos que espiavam seus piques, soprava um ventinho frio que enrugava a água da piscina (você entraria?, depois do jogo, agora não, brrr que frio), seus chutes, e balançava as copas dos eucaliptos e dos fícus do parque que despontavam sobre o muro amarelo do colégio, seus pênaltis e a manhã passava voando: treinamos muito bem, dizia Cuéllar, bárbaro, vamos ganhar. Uma hora depois o irmão Lucio apitava e, enquanto as salas se esvaziavam e as turmas formavam no pátio, os selecionados íamos vestir-nos para almoçar em casa. Mas Cuéllar se atrasava porque (você copia tudo dos craques, dizia Chingolo, quem pensa que é?, Toco Terry?) sempre entrava no chuveiro depois dos treinos. Às vezes eles também tomavam banho, au, mas esse dia, au au, quando Judas apareceu na porta do vestiário, au au au, só Lalo e Cuéllar estavam debaixo da água: au au au au. Choto, Chingolo e Mañuco pularam pelas janelas, Lalo gritou fugiu olhe irmão e conseguiu fechar a porta do chuveiro bem no focinho do dinamarquês. Ali, encolhido, ardósias brancas, azulejos e esguichos de água, tremendo, ouviu os latidos de Judas, o choro de Cuéllar, seus gritos, e ouviu berros, pulos, batidas, escorregões e depois só latidos, e um bocado de tempo depois, juro (mas quanto, dizia Chingolo, dois minutos?, mais, irmão, e Choto cinco?, mais muito mais), o vozeirão do irmão Lucio, os palavrões de Leoncio (em espanhol, Lalo?, sim, em francês também, você entendia?, não, mas imaginava que eram palavrões, idiota, pela fúria da voz), os carambas, meu Deus, fora, fora, sai daqui, o desespero dos irmãos, seu susto terrível. Abriu a porta e já o tinham carregado, viu-o entre as batinas negras, desacordado?, sim, pelado, Lalo?, sim e sangrando, irmão, palavra, que coisa horrível: o banheiro todo era puro sangue. Que mais, o que aconteceu depois, enquanto eu me vestia, perguntou Lalo, e Chingolo o irmão Agustín e o irmão Lucio puseram Cuéllar na caminhonete da Diretoria, nós os vimos lá da escada, e Choto arrancaram a oitenta (Mañuco cem) por hora, buzinando e buzinando feito os bombeiros, feito uma ambulância. Enquanto isso o irmão Leoncio perseguia Judas, que ia e vinha pelo pátio dando pulos, cambalhotas. Quando o agarrava, metia o bicho no canil e o açoitava por entre os arames (queria matá-lo, dizia Choto, se você tivesse visto, dava até medo) sem misericórdia, vermelho, a franja dançando no seu rosto.

Naquela semana, a missa de domingo, o rosário de sexta-feira e as orações do princípio e do fim das aulas foram dedicadas ao restabelecimento de Cuéllar, mas os irmãos ficavam furiosos quando os alunos falavam entre si do acidente, sempre nos davam tapas e cascudos, silêncio, tome, de castigo até as seis. Mesmo assim, aquilo era o único assunto nos recreios e nas salas de aula, e na segunda seguinte, quando foram visitá-lo na Clínica Americana depois da saída do colégio, vimos que não tinha nada no rosto nem nas mãos. Estava num quartinho lindo, olá Cuéllar, paredes brancas e cortinas creme, já ficou bom, compadre?, ao lado de um jardim com florzinhas, grama e uma árvore. Eles estávamos nos vingando, Cuéllar, todo recreio era pedrada e mais pedrada no canil do Judas e ele benfeito, logo, logo aquele desgraçado não teria mais um osso inteiro, ria, quando saísse de lá iríamos ao colégio uma noite e entraríamos pelo telhado, viva o jovenzinho pam pam, a Águia Mascarada tchas tchas, e faríamos esse cachorro ver estrelas, de bom humor mas magrinho e pálido, como ele fez comigo. Sentadas à cabeceira de Cuéllar havia duas senhoras que nos deram chocolate e foram para o jardim, meu coração, fique conversando com seus amiguinhos, elas fumariam um cigarro e voltariam, a de vestido branco é minha mãe, a outra uma tia. Conte Cuéllar, irmãozinho, o que aconteceu, tinha doído muito?, demais, onde o havia mordido?, foi aqui, e ficou nervoso, na piroquinha?, sim, encabuladinho, e riu e nós rimos e as senhoras acenando da janela, meu coração, e para nós só mais um instantinho porque Cuéllar ainda não estava bom e ele psiu, era um segredo, seu velho não queria, nem sua velha, que ninguém soubesse, meu bem, melhor não dizer nada, para quê, tinha sido mesmo na perna, meu coração, está bem? A operação levara duas horas, contou, ia voltar ao colégio dentro de dez dias, beleza de férias, o que mais você quer, foi o doutor quem disse. Voltamos e na turma todos queriam saber, costuraram a barriga dele, não é?, com agulha e linha, não é? E Chingolo como ele ficou sem jeito quando nos contou, seria pecado falar disso?, Lalo não, que nada, sua mãe lhe dizia toda noite antes de ir para a cama: já escovou os dentes, já fez xixi?, e Mañuco pobre Cuéllar, que dor deve ter sentido, se uma bolada ali já deixa qualquer um desmaiado imagine uma mordida e, ainda mais, pensa nos dentes do Judas, peguem pedras, vamos para o campo, uma, duas, três, au au au au, gostava?, desgraçado, que apanhasse e aprendesse. Pobre Cuéllar, dizia Choto, não ia poder brilhar no campeonato que começa amanhã, e Mañuco tanto treino à toa e o pior é que isto, dizia Lalo, enfraqueceu o nosso time, temos que dar tudo se não quisermos ficar na lanterna, rapazes, jurem que vão se superar.

## II

Só voltou ao colégio depois das Festas Patrióticas e, coisa estranha, em vez de desiludido com o futebol (não tinha sido por causa do futebol, de certa forma, que Judas o mordera?), veio mais esportista que nunca. Em compensação, os estudos começaram a lhe interessar menos. E era compreensível, mesmo que fosse burro, não precisava mais dar duro: ia fazer os exames com médias muito baixas e os irmãos o deixavam passar, exercícios malfeitos e ótimo, péssimos deveres e aprovado. Desde que aconteceu o acidente eles protegem você, dizíamos, não sabia nada de frações e, vejam que sacanagem, tirou oito. Além disso, chamavam-no para ajudar na missa, Cuéllar leia o catecismo, levar o galhardete da turma nas procissões, apague o quadro-negro, cantar no coro, distribua as cadernetas e, nas primeiras sextas-feiras, participava do café da manhã embora não comungasse. Quem me dera, dizia Choto, você tem um vidão, pena que Judas não tenha nos mordido, e ele não era por causa disso: os irmãos o protegiam de medo do seu velho. Bandidos, o que vocês fizeram com o meu filho, vou fechar este colégio, vou mandar vocês para a cadeia, não sabem quem sou, vou matar essa fera maldita e o irmão diretor, calma, acalme-se senhor, sacudiu-o pelo peitilho. Foi assim, palavra, dizia Cuéllar, o velho tinha contado à mãe e embora só falassem cochichando ele, da minha cama na clínica, tinha ouvido: era por isso que o protegiam. Pelo peitilho?, que cascata, dizia Lalo, e Chingolo talvez fosse verdade, por algum motivo o maldito animal tinha desaparecido. Devem ter vendido, dizíamos, ou fugiu, deram para alguém, e Cuéllar não, não, com certeza o seu velho viera matá-lo, ele sempre cumpria o que prometia. Porque um dia o canil amanheceu vazio e uma semana depois, em lugar do Judas, quatro coelhinhos brancos! Cuéllar, leve alface para eles, ah companheirinho, dê cenoura, como o paparicavam, troque a água, e ele feliz.

Mas não eram só os irmãos que começaram a mimá-lo, seus velhos também tinham dado para isso. Agora Cuéllar vinha todas as tardes jogar bola conosco no Terrazas (seu velho não briga mais?, agora não, ao contrário, sempre perguntava quem ganhou o jogo, meu time, quantos gols fez, três?, muito bem!, e ele não se zangue, mamãe, a camisa rasgou quando eu estava jogando, foi sem querer, e ela bobinho, não tinha importância, meu coração, a empregada ia costurar e serviria para usar em casa, que lhe desse um beijo) e depois nos sentávamos no balcão do Excélsior, do Ricardo Palma ou do Leuro para assistir a seriados, dramas impróprios para senhoritas, filmes do Cantinflas e do Tin Tan. Volta e meia aumentavam a sua mesada e me compram o que eu quiser, nos dizia, tinha os pais sob controle, eles atendem a todas as minhas vontades, estavam aqui na palma da mão, fazem tudo por mim. Ele foi o primeiro dos cinco a ter patins, bicicleta, moto, e eles Cuéllar peça ao seu velho que nos compre uma taça para o campeonato, que os levasse à piscina do estádio para ver Merino e o Coelho Villarán nadando e que fosse nos buscar de carro na saída da matinê, e o velho nos dava a taça e nos levava e apanhava de carro: sim, estava mesmo na palma da mão.

Naquela época, não muito tempo depois do acidente, começaram a chamá-lo de Piroquinha. O apelido nasceu na sala de aula, foi o espertinho do Gumucio que inventou?, claro, quem podia ser, e a princípio Cuéllar, irmão, chorava, estão me chamando de um palavrão, feito bicha, quem?, de quê?, uma coisa feia, irmão, tinha vergonha de repetir, gaguejando e as lágrimas que brotavam, e depois no recreio os alunos dos outros anos Piroquinha tudo certo, e o ranho que escorria, como vai, e ele irmão, olhe só, corria para perto de Leoncio, Lucio, Agustín ou do professor Cañón Paredes: foi ele. Protestava e também ficava furioso, o que você disse, eu disse Piroquinha, branco de cólera, bicha, com as mãos e a voz tremendo, vamos ver se tem coragem de repetir, Piroquinha, já repeti e daí, ele então fechava os olhos e, como seu pai tinha aconselhado, não aceite rapaz, pulava sobre eles, quebre suas fuças, e os desafiava, você pisa no pé e tchan, e brigava, um sopapo, uma cabeçada, um pontapé, onde fosse, na fila ou no campo, jogue-o no chão e pronto, na sala de aula, na capela, não vão amolar mais. Só que quanto mais se aborrecia mais o provocavam e uma vez, era um escândalo, irmão, o pai foi até a Diretoria soltando faíscas, estavam martirizando o seu filho e ele não ia admitir. Que tivesse colhões, que castigasse esses moleques senão ele mesmo o faria, que insolência, ia botar todo mundo no seu lugar, um tapa na mesa, era o fim da picada, era só o que faltava. Mas o apelido tinha grudado como um selo e, apesar dos castigos aplicados pelos irmãos, dos sejam mais humanos, tenham um pouco de piedade, do diretor, e apesar das lágrimas e dos chiliques e das ameaças e dos socos de Cuéllar, o apelido chegou à rua e pouco a pouco foi percorrendo os bairros de Miraflores e ele nunca mais conseguiu se livrar, coitado. Piroquinha passe a bola, não seja fominha, quanto tirou em álgebra, Piroquinha?, troco uma bala de fruta, Piroquinha, por um pão de mel, e não deixe de vir amanhã para o passeio a Chosica, Piroquinha, iam tomar banho de rio, os irmãos levariam luvas, você vai poder lutar boxe com Gumucio e se vingar, Piroquinha, e não tem botas?, porque vamos subir o morro, Piroquinha, e na volta ainda pegariam a sessão da tarde, Piroquinha, gostava do plano?

Até eles, Cuéllar, que no começo nos contínhamos, meu chapa, começaram a dizer, velho, contra nossa vontade, irmão, parceiro, de repente Piroquinha e ele, vermelho, o quê?, ou pálido, você também, Chingolo?, arregalando os olhos, homem, desculpe, não tinha sido com má intenção, ele também, o seu amigo também?, homem, Cuéllar, que não ficasse assim, como todo mundo falava a gente acabava se contagiando, você também, Choto?, e saía da boca sem querer, ele também, Mañuco?, era assim que o chamávamos pelas costas?, dava meia-volta e eles Piroquinha, não é mesmo? Não, que ideia, e o abraçávamos, palavra de honra que nunca mais e depois por que fica tão zangado, irmãozinho, era um apelido como outro qualquer e afinal, você não chama o manquinho Pérez de Patinete e o vesgo Rodríguez de Lesado ou Olhar Fatal e o gago Rivera de Bico de Ouro? E ele não era chamado de Choto e ele de Chingolo e ele de Mañuco e ele de Lalo? Não fique aborrecido, irmão, jogue logo, vamos, é sua vez.

Pouco a pouco foi se resignando ao apelido e no sexto ano já não chorava nem brigava, fazia-se de desentendido e às vezes até brincava, Piroquinha, não, Pirocão, rá rá!, e no primeiro ginásio já estava tão acostumado que, quando o chamavam de Cuéllar ficava mais sério e olhava a pessoa com desconfiança, meio que duvidando, não seria gozação? Até dava a mão aos novos amigos dizendo muito prazer, Piroca Cuéllar às suas ordens.

Não com as garotas, é claro, só com os homens. Porque naquela época, além de esportes, eles já se interessavam por meninas. Tínhamos começado a fazer gracejos, nas aulas, sabe, ontem vi Pirulo Martínez com a namorada, nos recreios, estavam passeando de mãos dadas pelo Malecón e de repente pum, um chupão!, e nas saídas, na boca?, sim e ficaram um monte de tempo se beijando. Em pouco tempo, isso se tornou o assunto principal das conversas. Quique Rojas tinha uma garota mais velha que ele, loura, de olhos azuis e no domingo Mañuco viu-os entrando juntos no cinema Ricardo Palma e na saída ela apareceu toda despenteada, na certa estavam tirando sarro, e no outro dia à noite Choto pegou o venezuelano do quinto ano, aquele que chamam de Múcura por causa da bocarra, velho, num carro, com uma mulher muito maquiada e, claro, estavam sarrando, e você, Lalo, já sarrou?, e você, Piroquinha, rá rá, e o Mañuco gostava da irmã de Periquito Sáenz, e Choto ia pagar um sorvete e a carteira caiu no chão e tinha uma foto de uma menina vestida de Chapeuzinho Vermelho numa festa infantil, rá rá, não fique nervoso, Lalo, já sabemos que você é doido pela magrela Rojas, e você Piroquinha está gostando de alguém?, e ele não, vermelho, ainda, ou pálido, não estava gostando de ninguém, e você e você, rá rá.

Se saíssemos às cinco em ponto e corrêssemos feito almas penadas pela avenida Pardo, chegavam bem na hora da saída das garotas do Colégio La Reparación. Ficávamos parados na esquina e olhe, ali estavam os ônibus, eram as do terceiro e a da segunda janela é irmã do caboclo Cánepa, tchau, tchau, e aquela, olhe, digam oi, riu, riu e a pequena nos respondeu, tchau, tchau, mas não era com você, menina, e aquela e aquela. Às vezes levávamos papeizinhos escritos e os jogavam para o alto, que bonita você é, gosto das suas tranças, o uniforme fica melhor em você que em nenhuma outra, seu amigo Lalo, cuidado, homem, a freira já viu, vai botar as meninas de castigo, como se chama?, eu Mañuco, vamos ao cinema no domingo?, que lhe respondesse amanhã com um papelzinho igual ou fazendo que sim com a cabeça quando o ônibus passasse. E você Cuéllar, não gostava de nenhuma?, sim, daquela que se senta atrás, a de óculos?, não, não, a do ladinho, por que não lhe escrevia, então, e ele o que ia dizer, vamos ver, vamos ver, quer ser minha amiga?, não, que bobagem, eu queria ser amigo dela e lhe mandava um beijo, sim, assim estava melhor, mas era pouco, alguma coisa mais atrevida, quero ser seu amigo e lhe mandava um beijo e adoro você, ela seria a vaca e eu o touro, rá rá. E agora assine o seu nome e sobrenome e que lhe fizesse um desenho, por exemplo qual?, qualquer, um tourinho, uma florzinha, uma piroquinha, e assim passávamos as tardes, correndo atrás dos ônibus do Colégio La Reparación e, às vezes, íamos até a avenida Arequipa só para ver as garotas de uniforme branco do Villa María, tinham acabado de fazer a primeira comunhão? gritávamos, e até tomavam o Expresso e descíamos em San Isidro para espiar as do Santa Úrsula e as do Sagrado Coração. Não jogávamos mais bola tanto como antes.

Quando as festas de aniversário se transformaram em festas mistas, eles ficavam nos jardins, fingindo que brincavam de pegar, de esconder ou de polícia e ladrão, peguei você!, enquanto éramos puro olho, puro ouvido, o que estaria acontecendo no salão?, o que as garotas faziam com aqueles metidos, que inveja, que já sabiam dançar? Até que um dia decidiram aprender também e então passávamos sábados, domingos inteiros, dançando entre homens, na casa do Lalo, não, na minha que é maior vai ser melhor, só que Choto tinha mais discos, e Mañuco mas eu tenho a minha irmã que pode nos ensinar e Cuéllar não, na casa dele, seus velhos já sabiam e um dia tome, sua mãe, meu coração, tome essa vitrola, só para ele?, sim, não queria aprender a dançar? Podia levar para o quarto e chamar seus amiguinhos e se trancar com eles o tempo que quisesse e compre discos também, meu coração, vá à Discocentro, e eles foram e escolhemos *huarachas*, mambos, boleros e valsas e mandavam a conta para o velho dele, o senhor Cuéllar, Marechal Castilla duzentos e oitenta e cinco. Valsa e bolero era fácil, bastava ter memória e contar, um para cá, um para lá, a música não tinha tanta importância. Mais difícil eram a *huaracha*, temos que aprender os passos, dizia Cuéllar, e o mambo, dar voltas e soltar a parceira e se destacar. Aprendemos a dançar e a fumar quase ao mesmo tempo, tropeçando, engasgando com a fumaça dos Lucky e Viceroy, pulando até que, de repente, pronto irmão, você tragou, saía, não perca, mexa-se mais, ficando tonto, tossindo e cuspindo, vamos ver, tinha descido?, mentira, a fumaça estava debaixo da língua, e Piroquinha eu, que contássemos, tínhamos visto?, oito, nove, dez, e agora botava para fora: sabia ou não sabia tragar? E também soltar pelo nariz e agachar-se e dar uma voltinha e levantar-se sem perder o ritmo.

Antes, o que mais nos interessava no mundo eram esportes e cinema, e davam qualquer coisa por um jogo de futebol, mas agora só pensávamos em garotas e bailes e dávamos qualquer coisa por uma festa com discos de Pérez Prado e autorização da dona da casa para fumar. Havia festas quase todos os sábados e quando não éramos convidados entrávamos de penetra e, antes de entrar, sentavam-se no bar da esquina e pedíamos ao chinês, batendo no balcão com o punho: cinco *capitanes*! A seco e de virada, dizia Piroquinha, assim, glu glu, feito homem, como eu.

Quando Pérez Prado veio a Lima com sua orquestra, fomos esperá-lo na Córpac, e Cuéllar, quero ver quem faz como eu, conseguiu abrir caminho por entre a multidão, chegou aonde ele estava, puxou-lhe o paletó e gritou: "Rei do mambo!" Pérez Prado sorriu e também me deu a mão, juro, e assinou no seu caderno de autógrafos, vejam. Foram atrás dele, confundidos na caravana de fãs, no carro de Boby Lozano, até a praça San Martín e, apesar da proibição do arcebispo e das advertências dos irmãos do Colégio Champagnat, prosseguiram até a praça de Acho, à Tribuna de Sol, para assistir ao campeonato nacional de mambo. Toda noite, na casa de Cuéllar, ligavam a Rádio El Sol e ouvíamos, frenéticos, que trompete, irmão, que ritmo, a apresentação de Pérez Prado, que piano.

Já usavam calças compridas, penteávamos o cabelo com brilhantina e tinham crescido, principalmente Cuéllar, que de menor e mais fraco dos cinco passou a ser o mais alto e mais forte. Você virou um Tarzan, Piroquinha, dizíamos, que corpão você tem.

## III

O primeiro a ter namorada foi Lalo, quando estávamos no terceiro ginásio. Uma noite entrou no Cream Rica, todo risonho, eles o que foi e ele radiante, exibido feito um pavão: eu pedi a Chabuca Molina para namorar, ela me disse que sim. Fomos comemorar no Chasqui e, no segundo copo de cerveja, Lalo, como foi que você fez, Cuéllar estava nervosinho, pegou na mão dela?, chato, o que a Chabuca fez, Lalo, e perguntador você a beijou, conte? Ele nos contava, todo contente, e agora era a vez dos outros, saúde, feliz como só ele, vamos ver se arranjávamos logo uma namorada e Cuéllar, batendo o copo na mesa, como é que foi, o que disse a ela, o que respondeu, o que você fez. Até parece um padre, Piroquinha, dizia Lalo, me tomando a confissão e Cuéllar conte, conte, o que mais. Tomaram três garrafas de Cristal e, à meia-noite, Piroquinha saiu. Encostado num poste, em plena avenida Larco, em frente à Assistência Pública, vomitou: delicadinho, dissemos, e também que coisa, desperdiçar assim a cerveja que custou tão caro, que esbanjamento. Mas ele, você nos traiu, não estava a fim de brincadeiras, Lalo traidor, soltando espuma pela boca, você se adiantou, vomitando na camisa, declarar-se a uma garota, na calça, e nem sequer nos contou que estava paquerando, Piroquinha, incline-se um pouco, está manchando até a alma, mas ele nem aí, aquilo não se fazia, estou pouco ligando se me manchar, falso amigo, traidor. Depois, enquanto nós o limpávamos, a raiva passou e ele ficou sentimental: nunca mais o veríamos, Lalo. Agora ia passar os domingos com a Chabuca e nunca mais vem nos procurar, seu veado. E Lalo que ideia, irmão, namorada e amigos eram duas coisas diferentes, mas não se opunham, não precisava ser ciumento, Piroquinha, fique calmo, e eles apertem as mãos, mas Cuéllar não queria, que Chabuca desse a mão a ele, eu não. Fomos acompanhá-lo até a sua casa e o caminho todo ficou murmurando cale a boca velho e renegando, já chegamos, entre devagarzinho, devagarzinho, passo a passo feito um ladrão, cuidado, se fizer barulho seus pais vão acordar e acabar sabendo. Mas ele começou a gritar, quero ver, a chutar a porta da casa, que acordassem e soubessem e daí, seus covardes, que não fôssemos embora, ele não tinha medo dos velhos, que ficássemos e víssemos. Ficou danado, dizia Mañuco, enquanto corríamos para a Diagonal, você disse que pediu a Chabuca para namorar e o compadre mudou de cara e de humor, e Choto era inveja, foi por isso que se embebedou e Chingolo os velhos dele vão matá-lo. Mas não fizeram nada. Quem lhe abriu a porta?, minha mãe e o que aconteceu?, dizíamos, ela bateu em você? Não, começou a chorar, meu coração, como era possível, como ia beber álcool na sua idade, e também veio meu velho e brigou com ele, nunca mais ia fazer isso?, não, papai, tinha vergonha do que fizera?, sim. Então lhe deram um banho, levaram-no para a cama e na manhã seguinte ele pediu desculpas. Também para Lalo, irmão, sinto muito, a cerveja me subiu à cabeça, não foi?, xinguei você, fiquei perturbando, não foi? Não, que absurdo, coisa da bebida, toque aqui e amigos, Piroquinha, como antes, não aconteceu nada.

Mas tinha acontecido alguma coisa: Cuéllar começou a fazer loucuras para chamar a atenção. Todos aplaudiam e lhe dávamos corda, duvidam que eu roube o carro do velho e depois vamos dar umas voltas na Costanera, rapazes?, mas não, irmão, e ele pegava o Chevrolet do pai e iam para a Costanera; duvidam que eu bata o recorde de Boby Lozano?, mas não irmão, e ele vssssst pelo Malecón vsssst de Benavides até a Quebrada vsssst em dois minutos e cinquenta, bati?, sim e Mañuco se persignou, bateu, e você que medo, veadinho; que íamos ao Oh, Qué Bueno e deixávamos a conta pendurada?, mas não irmão, e eles iam ao Oh, Qué Bueno, e nos entupíamos de hambúrgueres e milk-shakes, davam o fora um a um e lá da igreja de Santa María víamos Cuéllar driblar o garçom e fugir, o que foi que eu disse?, duvidam que quebre todos os vidros dessa casa com a espingarda de perdigões do meu velho?, mas não, Piroquinha, e ele quebrava. Bancava o doido para nos impressionar, mas também para você, viu, viu?, tirar onda com Lalo, você não teve coragem e eu sim. Não lhe perdoa a história com a Chabuca, dizíamos, que ódio tem dele.

No quarto ginásio, Choto se declarou a Fina Salas e ela disse que sim, e Mañuco a Pusy Lañas e ela também disse que sim. Cuéllar ficou fechado em casa durante um mês e no colégio mal os cumprimentava, escute, o que há com você, nada, por que não nos procurava, por que não saía com eles?, não tinha vontade de sair. Está se fazendo de misterioso, diziam, de interessante, complicado, ressentido. Mas aos poucos se conformou e voltou para o grupo. Aos domingos, Chingolo e ele iam sozinhos à matinê (solteirinhos, nós os chamávamos, viuvinhos), e depois matavam o tempo de algum jeito, andando à toa pelas ruas, sem falar ou só dizendo vamos por aqui, por ali, de mãos nos bolsos, ouvindo discos na casa de Cuéllar, lendo quadrinhos ou jogando cartas, e às nove iam para o parque Salazar encontrar os outros, que a essa hora já estávamos nos despedindo das namoradas. Foi bom o sarro?, dizia Cuéllar, enquanto tirávamos os casacos, afrouxavam as gravatas e arregaçávamos as mangas no bilhar da alameda Ricardo Palma, um sarro firme, rapazes?, a voz doente de birra, inveja e mau humor, e eles cale a boca, vamos jogar, irmão, língua?, piscando como se a fumaça e a luz dos focos inflamassem seus olhos, e nós estava zangado, Piroquinha?, por que em vez de ficar ofendido não arranjava uma garota e parava de amolar?, e ele se beijaram?, tossindo e cuspindo como um bêbado, até engasgar?, batendo pé, levantaram a saia, meteram o dedinho?, e eles a inveja o estava matando, Piroquinha, bem gostoso, bem bonito?, deixando doido, era melhor calar a boca e começar logo. Mas ele continuava, incansável, então, agora de verdade, o que tínhamos feito com elas?, quanto tempo as garotas deixavam beijar?, outra vez, irmão?, cale a boca, já estava ficando chato, e uma vez Lalo se aborreceu: merda, ia quebrar a cara dele, falava como se as nossas namoradas fossem dessas caboclinhas para trepar. Afinal os separamos e os mandaram fazer as pazes, mas Cuéllar não aguentava, era mais forte que ele, todo domingo a mesma história: e então, como foi?, que contássemos, sarrinho gostoso?

No quinto ginásio, Chingolo se declarou a Bebe Romero e ela lhe disse que não, a Tula Ramírez e não, a China Saldívar e sim: a terceira é a que vale, dizia, quem não cansa sempre alcança, todo feliz. Comemoramos no barzinho dos lutadores de catch da rua San Martín. Mudo, encolhido, triste em sua cadeira num canto, Cuéllar bebia um *capitán* atrás do outro: não faça essa cara, irmão, agora era a sua vez. Que escolhesse uma garota e se declarasse, dizíamos, nós dávamos força, podíamos ajudar e as nossas namoradas também. Sim, sim, escolheria logo, um *capitán* atrás do outro e, de repente, tchau, se levantou: estava cansado, vou dormir. Se ficasse ia cair no choro, dizia Mañuco, e Choto estava se segurando para não chorar, e Chingolo ou senão tinha um chilique como da outra vez. E Lalo: precisamos ajudá-lo, de verdade, vamos arranjar uma garota para ele mesmo que seja feinha, assim perde o complexo. Sim, sim, vamos ajudá-lo, era gente boa, um pouquinho chato às vezes mas no seu caso qualquer um, eles entendiam, perdoavam, sentiam saudade, gostavam dele, brindemos à sua saúde, Piroquinha, batam os copos, por você.

A partir de então, Cuéllar ia sozinho à matinê dos domingos e feriados — nós o víamos na escuridão da plateia, sentadinho nas filas do fundo, acendendo um cigarro atrás do outro, espiando disfarçadamente os casais bolinando —, e só se juntava a eles à noite, no bilhar, no Bransa, no Cream Rica, o rosto abatido, que tal o domingo? e a voz azeda, ele muito bem e vocês imagino que melhor ainda, certo?

Mas no verão a raiva já passara; íamos juntos à praia — a La Herradura, não mais a Miraflores —, no carro que ganhara dos velhos no Natal, um Ford conversível que tinha escapamento aberto, não respeitava os sinais de trânsito e ensurdecia, assustava os transeuntes. Com muito esforço, acabou fazendo amizade com as garotas e se dava bem com elas, embora sempre, Cuéllar, ficavam enchendo com a mesma coisa: por que não se declara finalmente a alguma menina? Assim seriam cinco casais e sairíamos sempre em turma e andariam para cima e para baixo todos juntos, por que não faz isso? Cuéllar se defendia brincando, não, porque não caberiam todos no poderoso Ford e uma de vocês seria sacrificada, despistando, por acaso com nove já não ficavam espremidos? Falando sério, dizia Pusy, todos tinham namorada e ele não, você não se cansa de ficar segurando vela? Que desse em cima da magrela Gamio, ela é doida por você, tinha confessado isso outro dia, na casa da China, no jogo da verdade, você não gosta dela? Vá lá, nós ajudaríamos, ela ia aceitar, decida-se. Mas ele não queria ter namorada e fazia cara de bandido, prefiro a minha liberdade, e de conquistador, solteirinho vivia melhor. Liberdade para quê, dizia a China, para fazer barbaridades?, e Chabuca para ir transar?, e Pusy com vagabundas?, e ele cara de misterioso, quem sabe, de cafetão, quem sabe, e de pervertido: podia ser. Por que você não vem às nossas festas?, dizia Fina, antes ia a todas e era tão alegre e dançava tão bem, o que houve, Cuéllar? E Chabuca que não fosse estraga-prazeres, venha, assim pode encontrar um dia alguma garota do seu agrado e ficar com ela. Mas ele nem pensar, de perdido, nossas festas o aborreciam, de homem experiente, não ia porque tinha outras melhores onde me divirto mais. O caso é que você não gosta de garota decente, diziam elas, e ele como amigas claro que sim, e elas só de caboclas, vagabundas, bandidas e, de repente, Piroquinha, gggggostavvvva sssiiimm, começava, de garottta decenttte, a gaguejar, sssó qqqque a maggrela Gamio nnnão, elas já ficou nervoso e ele alllém do mmais não tttinha tempppo por cccausa dos exammmmes e eles agora chega, íamos defendê-lo, não vão conseguir, ele tinha os seus casinhos, os seus segredinhos, depressa irmão, olhe que sol, La Herradura deve estar uma brasa, pé na tábua, faça o poderoso Ford voar.

Ficávamos na frente do Las Gaviotas e, enquanto os quatro casais tomavam sol na areia, Cuéllar se exibia pegando jacaré. Olhe essa aí que está se formando, dizia Chabuca, aquela enorme, será que você consegue? Piroquinha se levantava com um pulo, estava entusiasmado, nisso pelo menos ele podia vencer: ia tentar, Chabuquita, olhe. Precipitava-se — corria estufando o peito, jogando a cabeça para trás —, mergulhava, avançava com braçadas bonitas, batendo pernas o tempo todo, como ele nada bem dizia Pusy, alcançava a onda quando estava a ponto de estourar, olhe só como corre atrás, teve coragem dizia a China, flutuava quase sem afundar a cabeça, um braço rígido e o outro batendo, cortando a água como um campeão, e então o víamos subir até a crista da onda, cair com ela, desaparecer num estrondo de espuma, olhem só olhem só, será que vai derrubá-lo dizia Fina, e o viam reaparecer e ser impulsionado pela onda, com o corpo arqueado, a cabeça de fora, os pés cruzados no ar, e o víamos chegar suavemente até a margem, empurrado pelas marolas.

Você é bom nisso, diziam elas enquanto Cuéllar dava as costas para a ressaca, acenava para nós e se metia de novo no mar, era tão simpático, e também boa-pinta, por que não tinha namorada? Eles se olhavam de lado, Lalo ria, Fina o que houve, por que essas gargalhadas, contem, Choto ficava vermelho, essas gargalhadas não eram por nada e além do mais de que está falando, que gargalhadas, ela não se faça de bobo e ele não, nada disso, palavra. Não tinha namorada porque era tímido, dizia Chingolo, e Pusy não era, que tímido coisa nenhuma, era até descarado, e Chabuca então por quê? Está procurando mas não encontra, dizia Lalo, logo vai arranjar alguma, e a China negativo, não estava nem procurando, nunca ia às festas, e Chabuca então por quê? Elas sabem, dizia Lalo, apostava a cabeça que sim, elas sabiam e fingiam que não, para quê?, para arrancar na voz deles, se não sabiam por que tanto por quê, tanto olhar estranho, tanta malícia na voz. E Choto: não, você está enganado, elas não sabiam, eram perguntas inocentes, as garotas não se conformavam com o fato de que ele não tinha namorada, na sua idade, sentem pena de vê-lo sozinho, queriam ajudá-lo. Talvez não saibam mas qualquer dia saberão, dizia Chingolo, e vai ser culpa dele, o que custava dar em cima de alguma nem que fosse só para despistar?, e Chabuca então por quê?, e Mañuco que diferença faz, não pressione tanto, na hora menos esperada ele se apaixona por alguém, ia ver, e agora calem a boca que está chegando.

À medida que os dias passavam, Cuéllar ficava mais antissocial com as garotas, mais lacônico e esquivo. Também mais louco: estragou a festa de aniversário de Pusy soltando uma saraivada de foguetes pela janela, ela começou a chorar e Mañuco se irritou, foi procurá-lo, os dois brigaram, Piroquinha o esmurrou. Levamos uma semana para conseguir que fizessem as pazes, desculpe Mañuco, porra, nem sei o que me deu, irmão, não foi nada, eu é que peço desculpas, Piroquinha, por ter me irritado, venha venha, Pusy também o perdoou e quer ver você; apareceu bêbado na Missa do Galo e Lalo e Choto tiveram que levá-lo para o parque, soltem-me, delirando, estava se lixando, vomitando, queria um revólver, para quê, irmãozinho?, com diabos azuis, para nos matar?, sim e também esse aí que está passando bum bum e você e eu também bum bum; certo domingo invadiu o gramado do hipódromo e com seu Ford ffffuumm investia contra as pessoas ffffuumm que berravam e pulavam por cima das barreiras, aterrorizadas, ffffuum. No carnaval, as garotas fugiam: ele as bombardeava com projéteis fedorentos, cascas de ovo, frutas podres, balões inflados com xixi, e as sujava de lama, tinta, farinha, detergente (de lavar panela) e betume: selvagem, diziam elas, porco, bruto, animal, e ele aparecia na festa do Terrazas, no baile infantil do parque de Barranco, no baile do Lawn Tennis, sem fantasia, um frasco de lança-perfume em cada mão, píquiti píquiti huas, acertava, acertava nos olhos, rá rá, píquiti píquiti huas, ficou cega, rá rá, ou armado com uma bengala para atravessar entre os pés dos casais e jogá-los no chão: pumba. Brigava, apanhava, às vezes o defendíamos mas ele nunca aprende, dizíamos, qualquer hora dessas vão matá-lo.

Essas loucuras lhe deram má fama e Chingolo, irmão, você tem que mudar, Choto, Piroquinha, já está ficando antipático, Mañuco, as garotas não queriam mais andar com ele, achavam que era um bandido, prepotente e chato. Ele, às vezes triste, tinha sido a última vez, ia mudar, palavra de honra, às vezes briguento, bandido, ah, é?, era isso que essas fofoqueiras falavam de mim?, não se importava, nem ligava, estava cagando para essas dondoquinhas.

Na festa de formatura — a rigor, duas orquestras, no Country Club —, o único ausente da turma foi Cuéllar. Não seja bobo, dizíamos, você tem que vir, nós arranjamos uma garota para você, Pusy já falou com a Margot, Fina com Ilse, a China com Elena, Chabuca com Flora, todas queriam, morriam de vontade de ser seu par, escolha uma e venha para a festa. Mas ele não, que ridículo vestir smoking, não iria, era melhor a gente se encontrar depois. Bem, Piroquinha, como quisesse, que não fosse, você é do contra, que nos esperasse no El Chasqui às duas, deixaríamos as garotas em casa e depois iríamos encontrá-lo para tomar umas e outras, dar umas voltas por aí, e ele meio tristonho isso sim.

## IV

No ano seguinte, quando Chingolo e Mañuco já estavam no primeiro de Engenharia, Lalo no Pré-Médicas e Choto começava a trabalhar na Casa Wiese e Chabuca não era mais namorada do Lalo e sim do Chingolo e a China não era mais do Chingolo e sim do Lalo, Teresita Arrarte chegou a Miraflores: Cuéllar a viu e, pelo menos por um tempo, mudou. Da noite para o dia deixou de fazer loucuras e de andar em mangas de camisa, com a calça toda manchada e o cabelo despenteado. Começou a usar paletó e gravata, um topete ao estilo Elvis Presley e a engraxar os sapatos: o que houve com você, Piroquinha, nem dá para reconhecer, calma, rapaz. E ele nada, de bom humor, não houve nada, precisava cuidar um pouco da pinta, não é?, soprando, lustrando as unhas, parecia até o de antes. Que alegria, irmão, dizíamos, que revolução ver você assim, não será que?, e ele, como um pão de mel, quem sabe. Teresita?, de repente, gostava dela?, pode ser, como um chiclete, pode ser.

Ficou sociável outra vez, quase tanto como na infância. Aos domingos aparecia na missa de meio-dia (às vezes o víamos comungar) e na saída se aproximava das garotas do bairro, como vão?, tudo bem, Teresita, vamos ao parque?, podíamos sentar nesse banco que tinha sombrinha. De tarde, ao escurecer, ia para a pista de patinação e caía e se levantava, engraçado e conversador, venha venha Teresita, ele lhe ensinaria, e se caísse?, não que nada, ele lhe daria a mão, venha venha, uma voltinha só, e ela está bem, coradinha e brejeira, uma só mas devagarzinho, lourinha, bundudinha e com dentes de camundongo, vamos. Deu também para frequentar o clube

Regatas, papai, que entrasse de sócio, todos os seus amigos iam e o velho ok, vou comprar um título, ia remar, rapaz?, sim, e o Boliche da Diagonal. Dava até umas voltinhas aos domingos de tarde pelo parque Salazar, e sempre o viam risonho, Teresita sabia em que um elefante se parecia com Jesus?, serviçal, ponha os meus óculos, Teresita, o sol está forte, falador, quais são as novidades, Teresita, na sua casa todos bem? e generoso um cachorro-quente, Teresita, um sanduichinho, um milk-shake?

Pronto, dizia Fina, chegou sua hora, está apaixonado. E Chabuca como tinha se enrabichado por Teresita, olhava para ela e babava, e eles de noite, em volta da mesa de bilhar, enquanto o esperávamos, vai pedir para namorar?, Choto, vai ter coragem?, e Chingolo, será que Tere sabe? Mas ninguém perguntava na sua frente e ele não se dava por aludido com as indiretas, viu a Teresita?, sim, foram ao cinema?, o filme da Ava Gardner, na matinê, e tudo bem?, ótimo, um estouro, que fôssemos também, não percam. Tirava o casaco, arregaçava a camisa, empunhava o taco, pedia cerveja para os cinco, jogava e uma noite, depois de fazer um lance decisivo de carambola, à meia-voz, sem olhar para nós: finalmente, agora iam curá-lo. Marcou seus pontos, iam operá-lo, e eles o que estava falando, Piroquinha?, vai mesmo se operar?, e ele se fazendo de indiferente, que bom, não é mesmo? Era possível, sim, não aqui, em Nova York, seu velho ia levá-lo, e nós que bárbaro, irmão, coisa formidável, que grande notícia, quando ia viajar?, e ele logo, daqui a um mês, para Nova York, e eles que risse, vamos, cante, berre, fique feliz, irmãozinho, que alegria. Só que ainda não era certo, tinha que esperar uma resposta do médico, meu velho já lhe escreveu, não é um médico, é um sábio, um crânio desses que existem lá e ele, papai, já chegou?, não, e no dia seguinte chegou alguma carta, mamãe?, não, meu coração, fique calmo, já vai chegar, não devia ser impaciente e afinal chegou e o velho segurou-o pelo ombro: não, não era possível, garoto, tinha que ser corajoso. Rapaz, que pena, diziam, e ele mas pode ser que em outro lugar sim, na Alemanha por exemplo, em Paris, em Londres, seu velho ia averiguar, escrever mil cartas, gastaria até o que não tinha, garoto, e ele viajaria, seria operado e ficaria bom, e nós claro, irmãozinho, claro que sim, e quando saía, coitadinho, dava vontade de chorar. Choto: por que diabo Teresita veio para o bairro, e Chingolo ele já tinha se conformado e agora está desesperado e Mañuco mas quem sabe mais tarde, a ciência avançava tanto, não é mesmo?, descobririam alguma coisa e Lalo não, seu tio médico lhe dissera que não, não há remédio, não tem jeito e Cuéllar, já, papai?, ainda não, de Paris, mamãe?, e se de repente em Roma?, da Alemanha, já?

E, enquanto isso, começou a ir de novo às festas e, para apagar a má fama que adquirira com suas loucuras de roqueiro e conquistar as famílias, se comportava nos aniversários e festinhas como um rapaz modelo: chegava pontualmente e sem ter bebido, com um presentinho na mão, Chabuquita, para você, feliz aniversário, e estas flores para sua mamãe, escute, Teresita veio? Dançava todo duro, todo certinho, você parece um velho, não apertava o par, chamava as garotas que esquentavam as cadeiras, venha gordinha, vamos dançar, e conversava com as mamães, os papais, e era solícito, sirva-se minha senhora, às tias, quer um suquinho?, aos tios um traguinho?, lisonjeiro, que bonito o seu colar, como brilhava o seu anel, loquaz, foi à corrida, senhor, quando ia ganhar o grande prêmio? e galanteador, a senhora é uma mulher e tanto, dona, que lhe ensinasse a requebrar assim, dom Joaquín, o que não daria para dançar assim.

Quando estávamos conversando, sentados num banco do parque, e chegava Teresita Arrarte, sentados em volta da mesa do Cream Rica, Cuéllar mudava, ou andando pelo bairro, de assunto: quer deslumbrá-la, diziam, fazer-se passar por crânio, conquistar sua admiração.

Falava de coisas estranhas e difíceis: a religião (será que Deus que era todo-poderoso podia se matar sendo imortal?, vamos ver, quem de nós resolvia a charada), a política (Hitler não era tão louco como diziam, em poucos anos fez da Alemanha um país que se emparelhou com todos os outros, não foi?, o que estavam pensando), o espiritismo (não era coisa de superstição, era ciência, na França havia médiuns até na universidade e eles não apenas invocam as almas, também as fotografam, ele tinha visto num livro, Teresita, se quisesse podia conseguir e emprestar-lhe). Anunciou que iria estudar: no ano seguinte entraria na Universidade Católica e ela, exagerada, que bacana, que carreira ia seguir? e enfatizava com as mãozinhas brancas, ia fazer advocacia, os dedinhos gordos e as unhas compridas, advocacia? ui, que desagradável!, pintadas com esmalte natural, entristecendo-se, e ele mas não para ser rábula e sim para entrar para a Torre Tagle e virar diplomata, alegrando-se, mãozinhas, olhos, pestanas, e ele sim, o ministro era amigo do seu velho, já tinha falado com ele, diplomata?, boquinha, ui, que lindo! e ele, derretido, caidinho, claro, viajavam tanto, e ela isso também, e depois porque passavam a vida em festas: olhinhos.

    O amor faz milagres, dizia Pusy, como ficou educado, que cavalheiro. E a China: mas era um amor meio esquisito, se ele estava tão a fim de Tere por que não se declarava de uma vez?, e Chabuca isso mesmo, o que estava esperando?, já fazia mais de dois meses que a perseguia e até agora muito barulho por nada, que história era essa. Eles, entre si, será que sabem ou estão fingindo?, mas diante delas nós o defendíamos disfarçando: devagar se vai ao longe, garotas. É coisa de orgulho, dizia Chingolo, não deve querer se arriscar até ter certeza de que ela vai topar. Mas claro que ia topar, dizia Fina, não o paquerava?, olhe só o Lalo e a China, que melosos, e não lhe mandava indiretas?, como você patina bem, que pulôver bonito, que quentinho, e até se declarava de brincadeira, meu par vai ser você?, justamente por isso ela desconfia, dizia Mañuco, com garotas dengosas como a Tere nunca se sabe, parece que sim e depois que não. Mas Fina e Pusy não, mentira, já tinham lhe perguntado, você vai aceitá-lo? e ela deu a entender que sim, e Chabuca por acaso não saía tanto com ele, nas festas não dançava só com ele, no cinema com quem se sentava a não ser com ele? Mais claro que água: ela morre de amores por ele. E a China mas ia acabar cansando de tanto esperar que ele pedisse, digam-lhe que se decida de uma vez e se queria uma ocasião nós arranjaríamos, por exemplo uma festinha no sábado, eles dançariam um pouquinho, na minha casa ou na de Chabuca ou na de Fina, sairíamos para o jardim e deixaríam os dois sozinhos, o que mais podia querer. E no bilhar: elas não sabiam, que inocentes, ou que hipócritas, sabiam sim, e fingiam que não.

As coisas não podem continuar assim, disse Lalo um dia, ela o tratava como um cachorro, Piroquinha ia enlouquecer, podia até morrer de amor, vamos fazer alguma coisa, eles sim, mas o quê, e Mañuco descobrir se Tere está mesmo a fim dele ou é só fita. Foram à sua casa, perguntamos, mas ela tirava de letra, dá de mil em nós quatro, diziam. Cuéllar?, sentadinha na varanda da sua casa, mas vocês não o chamam de Cuéllar e sim de uma palavra feia, balançando-se para que a luz do poste batesse nas pernas, apaixonado por mim?, não eram de se jogar fora, mas como sabíamos? E Choto não se faça de boba, você sabia e eles também e as garotas e em toda Miraflores falavam disso e ela, olhos, boca, narizinho, é mesmo?, como se de repente topasse com um marciano: era a primeira vez que ouvia. E Mañuco vamos, Teresita, que fosse sincera, de peito aberto, não percebia como ele a olhava? E ela ai, ai, ai, aplaudindo, mãozinhas, dente, sapatinhos, que olhássemos, uma borboleta!, que nós corrêssemos, pegássemos e trouxéssemos o bichinho. Ele a olhava, sim, mas como amigo e, além do mais, que bonita, tocando nas asinhas, dedinhos, unhas, vozinha, vocês a mataram, coitadinha, nunca lhe dizia nada. E eles que conversa, que mentira, alguma coisa ele devia dizer, pelo menos elogiava, e ela não, palavra, ia fazer um buraquinho no jardim para enterrá-la, um cachinho, o pescoço, as orelhinhas, nunca, jurava. E Chingolo por acaso não notava como ele a seguia?, e Teresita devia segui-la como amigo, ai, ai, ai, batendo pé, mãozinhas, olhaços, não estava morta, a bandida voou!, cintura e peitinhos, porque então nem tinha segurado a sua mão, hein? ou melhor dizendo, tentado, hein?, está ali, ali, que corrêssemos, ou teria se declarado, hein?, e a pegássemos de novo: é que ele é tímido, dizia Lalo, segure-a mas, cuidado, vai se sujar, e ele não sabe se você o aceita, Teresita, ia aceitá-lo? e ela ah, ah, ruguinhas, testinha, vocês a mataram e esmigalharam, uma covinha nas bochechas, pestaninhas, sobrancelhas, quem? e nós como assim, quem? e ela melhor jogá-la fora assim como estava, toda esmagada, para que enterrá-la: ombrinhos. Cuéllar?, e Mañuco sim, você está a fim?, ainda não sabia e Choto então gostava mesmo, Teresita, se estava a fim, e ela não tinha falado isso, só que não sabia, depois pensaria se tivesse oportunidade mas na certa não teria e eles aposto que sim. E Lalo achava-o boa-pinta?, e ela Cuéllar?, cotovelos, joelhos, sim, era um pouquinho boa-pinta, hein? e nós está vendo, está vendo que gostava? e ela não tinha falado isso, não, que não fizéssemos trapaças, olhem, a borboletinha brilhava entre os gerânios do jardim ou era outro bichinho?, a ponta do dedinho, o pé, um saltinho branco. Mas por que esse apelido tão feio, nós éramos muito grossos, por que não lhe deram um apelido bonito como têm o Frango, o Boby, o Superman ou o Coelho Villarán, e nós gostava sim, gostava sim, não estava vendo?, se tinha pena dele por causa do apelido, então gostava, Teresita, não gostava?, um pouquinho, olhos, risadinha, só como amigo, claro.

 Ela finge que não, dizíamos, mas não há dúvida que sim: que o Piroquinha se declare e tudo resolvido, vamos falar com ele. Mas era difícil e não tomavam coragem.

 E Cuéllar, por seu lado, também não se decidia: continuava dia e noite atrás de Teresita Arrarte, contemplando-a, dizendo-lhe gracinhas, enchendo-a de mimos e em Miraflores os que não sabiam caçoavam dele, conversa-fiada, diziam, é pura pinta, totó de madame e as garotas lhe cantavam "Até quando, até quando" para vexá-lo e animá-lo. Então, uma noite o levamos ao cinema Barranco e, na saída, irmão, vamos até La Herradura no seu poderoso Ford e ele ok, tomariam umas cervejas e jogariam totó, perfeito. Fomos no poderoso Ford, roncando, derrapando nas curvas e no Malecón de Chorrillos um tira os fez parar, iam a mais de cem, senhor, caboclinho, não seja assim, não precisa ser mau, e pediu a carteira e tiveram que lhe dar uns trocados, senhor?, tome uns piscos à nossa saúde, caboclinho, não precisava ser mau, e em

La Herradura desceram e sentaram-se em volta de uma mesa do Nacional: que mestiçada, irmão, mas essa barafunda não estava nada mal e como dançam, era mais divertido que o circo. Tomamos duas garrafas de Cristal e não se atreviam, quatro, e nada, seis e Lalo começou. Sou seu amigo, Piroquinha, e ele riu, já bêbado? e Mañuco nós gostamos muito de você, irmão, e ele já?, rindo, porre carinhoso você também? e Chingolo: queriam falar com ele, irmão, e também aconselhá-lo. Cuéllar se transformou, empalideceu, brindou, engraçado aquele casal, não é?, ele um sapo e ela uma macaca, não é?, e Lalo para que disfarçar, amigo, você está apaixonado pela Tere, não está? e ele tossiu, espirrou, e Mañuco, Piroquinha, diga-nos a verdade, sim ou não? e ele riu, muito triste e trêmulo, quase não se ouvia: sssimm esstaaava, sssimmm. Duas garrafas de Cristal mais e Cuéllar não sabia o que fazer, Choto, o que podia fazer? e ele pede para namorar e ele não dá, Chingolito, como vou pedir e ele pedindo, companheiro, declarando o seu amor, ora, ela vai responder que sim. E ele não era por isso, Mañuco, podia até falar, mas e depois? Tomava a cerveja e perdia a voz e Lalo depois seria depois, agora declare-se e pronto, quem sabe daqui a um tempo você se cura e ele, Chotito, e se Tere sabia, se alguém tivesse contado a ela?, e eles não sabia, nós já lhe perguntamos, é louca por você e a voz voltava é louca por mim? e nós sim, e ele claro que talvez eu possa me curar dentro de um tempo, não achávamos que sim? e eles sim sim, Piroquinha, e em todo caso você não pode continuar assim, amargurado, emagrecendo, fugindo: que pedisse de uma vez. E Lalo como podia duvidar? Pediria, teria namorada, e ele, o que ia fazer? e Choto podia acariciá-la e Mañuco segurar a sua mão e Chingolo beijá-la e Lalo boliná-la um pouquinho e ele, e depois? e perdia a voz e eles, depois?, e ele depois, quando crescessem e você se casasse, e ele, e você e Lalo: que absurdo, como ia ficar pensando desde agora, e aliás isso era o de menos. Um dia a largaria, inventaria uma briga com qualquer pretexto e acabaria, assim tudo se ajeitaria e ele, querendo e não querendo falar: justamente era isso o que não queria, porque, porque gostava dela. Mas um pouquinho depois — dez garrafas de Cristal já — irmãos, nós tínhamos razão, era mesmo melhor: vou me declarar, passo um tempo com ela e depois a largo.

Mas as semanas passavam e nós quando, Piroquinha, e ele amanhã, mas não se decidia, ia pedir amanhã, palavra, sofrendo como nunca viram antes nem depois, e as garotas *"estás perdiendo el tiempo, pensando, pensando"* cantavam-lhe o bolero *Quizás, quizás, quizás*. Então começaram as crises: de repente jogava o taco de bilhar no chão, declare-se, irmão!, e ficava reclamando das garrafas ou dos cigarros, arranjava encrenca com todo mundo ou lhe brotavam lágrimas dos olhos, amanhã, desta vez era verdade, juro que sim: vou pedir a ela ou me mato. *"Y así pasan los días, y tú desesperando..."* e ele saía da matinê e ficava andando, trotando pela avenida Larco, deixem-me, como um cavalo louco, e eles atrás, vão embora, queria ficar sozinho, e nós declare-se, Piroquinha, não sofra, declare-se, declare-se, *quizás, quizás, quizás*. Ou entrava no El Chasqui e bebia, que ódio, Lalo, até ficar de porre, que sofrimento terrível, Chotito, e eles o acompanhavam, tenho vontade de matar, irmão!, e o levávamos meio carregado até a porta da casa, Piroquinha, resolva isso de uma vez, declare-se, e elas de manhã e de tarde *"por lo que tú más quieras, hasta cuándo, hasta cuándo"*. Estão infernizando a vida dele, dizíamos, vai acabar bêbado, delinquente, maluco.

Assim terminou o inverno, começou outro verão e, junto com o calor, chegou a Miraflores um rapaz de San Isidro que estudava arquitetura, tinha um Pontiac e era nadador: Cachito Arnilla. Ele se aproximou do grupo e este a princípio lhe fazia cara feia e as garotas o que você quer aqui, quem o convidou, mas Teresita deixem-no, blusinha branca, não o provoquem, Cachito sente-se ao meu lado, gorrinho de marinheiro, jeans, eu o convidei. E eles, irmão, não notava?, e ele sim, está paquerando, seu bobo, vai roubá-la de você, se não agir rápido vai ficar na mão, e ele e qual o problema se a roubar, e nós já não se importava? e ele pppor qqque sssse importaria, e eles não gostava mais dela?, qqque ggggostava nnnada.

Cachito se declarou a Teresita no fim de janeiro e ela respondeu que sim: coitado do Piroquinha, dizíamos, está arrasado e a Tere que bandida, que desgraçada, que cachorrada ela fez. Mas agora as garotas já a defendiam: bem feito, culpa dele, e Chabuca até quando a pobre Tere ia esperar que se decidisse?, e a China cachorrada coisa nenhuma, pelo contrário, a cachorrada foi dele, deixou-a tanto tempo perdendo tempo e Pusy além do mais Cachito era muito bom rapaz. Fina e simpático e boa-pinta e Chabuca e Cuéllar um tímido e a China um bicha.

## V

Então Piroca Cuéllar voltou a aprontar das suas. Que legal, dizia Lalo, pegou onda na Semana Santa? E Chingolo: onda não, ondonas de cinco metros, irmão, assim enormes, de dez metros. E Choto: faziam um barulho tremendo, chegavam até as barracas, e Chabuca mais, até o Malecón, salpicavam os carros da pista e, claro, ninguém entrava na água. Tinha feito aquilo para que Teresita Arrarte o visse?, sim, para deixar mal o namorado?, sim. Claro, como se dissesse Tere olhe o que me atrevo a fazer e o Cachito nada, ele era mesmo tão bom nadador?, fica na beirinha como as mulheres e as crianças, olhe só quem você perdeu, que bárbaro.

Por que o mar ficava tão bravo na Semana Santa?, dizia Fina, e a China de raiva porque os judeus mataram Cristo, e Choto os judeus o mataram?, ele achava que tinham sido os romanos, que bobo. Estávamos sentados no Malecón, Fina, com roupa de banho, Choto, as pernas de fora, Mañuco, aquelas ondonas estouravam, a China, e vinham e molhavam os nossos pés, Chabuca, como estava fria, Pusy, e suja, Chingolo, a água preta e a espuma cor de café, Teresita, cheia de algas e águas-vivas e Cachito Arnilla, e nisso psiu, psiu, olhem, lá vinha Cuéllar. Iria se aproximar, Teresita?, fingiria que não a via? Estacionou o Ford em frente ao Clube de Jazz de La Herradura, desceu, entrou no Las Gaviotas e saiu com roupa de banho — era nova, dizia Choto, amarela, uma Jantsen, e Chingolo ele pensou até nisso, calculou tudo para chamar a atenção, viu, Lalo? —, uma toalha em volta do pescoço como um xale e óculos escuros. Olhou com escárnio os banhistas assustados, espremidos entre o Malecón e a praia e olhou os vagalhões enlouquecidos e furiosos que sacudiam a areia e levantou a mão, acenou e se aproximou de nós. Olá, Cuéllar, que furada, não é?, olá, olá, cara de quem não entendia, seria melhor ter ido nadar na piscina do Regatas, não é?, o que foi, cara de por quê, o que houve. E por fim cara de, por causa das ondonas?: não, que ideia, não eram nada de mais, o que é que nós tínhamos (Pusy: a saliva pela boca e o sangue pelas veias, rá rá), porque o mar estava ótimo assim, Teresita olhinhos, falava sério?, sim, formidável até para pegar onda, estava brincando, não estava?, mãozinhas e Cachito ele se atreveria?, claro, de peito ou com prancha, não acreditávamos?, não, era disso que nós ríamos?, tinham medo?, de verdade?, e Tere ele não tinha?, não, ia entrar?, sim, ia pegar onda?, claro: gritinhos. E o viram tirar a toalha, olhar para Teresita Arrarte (deve ter ficado vermelha, não é?, dizia Lalo, e Choto não, que nada, e Cachito?, ele sim, ficou nervoso) e descer correndo os degraus do Malecón e mergulhar na água com um salto mortal. E o vimos passar rapidinho pela ressaca da beira e chegar num segundo à arrebentação. Vinha uma onda e ele afundava e depois saía e mergulhava de novo e saía, o que parecia?, um peixinho, um golfinho, um gritinho, onde estava?, outro, olhem lá, um bracinho, ali, ali. E o viam afastar-se, desaparecer, aparecer de novo e diminuir até chegar aonde as ondas começavam, Lalo, e que ondas: grandes, trêmulas, levantavam-se e não caíam nunca, pulinhos, era aquela coisinha branca?, nervos, sim. Ia, vinha, voltava, sumia entre a espuma e as ondas e retrocedia e continuava, o que parecia?, um patinho, um barquinho de papel, e para vê-lo melhor Teresita se levantou, Chabuca, Choto, todos, Cachito também, mas quando ia descer? demorou mas afinal se decidiu. Virou-se para a praia e nos procurou e ele nos acenou e eles lhe acenaram, toalhinha balançando. Deixou passar uma, duas, e na terceira onda o viram, adivinhamos como enfiava a cabeça, tomava impulso com um dos braços para pegar a correnteza, mantendo o corpo duro e batendo os pés. Deixou-se levar, abriu os braços, subiu (uma ondona de oito metros?, dizia Lalo, mais, da altura do teto?, mais, igual à catarata do Niágara, então?, mais, muito mais) e caiu junto com a pontinha da onda e a montanha de água engoliu-o e então apareceu a ondona, saiu, saiu?, e se aproximou roncando feito um avião, vomitando espuma, já o viram, está ali?, e por fim começou a descer, a perder força e ele apareceu, quietinho, e a onda o trazia suavemente, forrado de algas, quanto tempo aguentou sem respirar, que pulmões, e o fazia encalhar na areia, que incrível: nos deixara de queixo caído, Lalo, não era para menos, claro. Foi assim que recomeçou.

No meio desse ano, pouco depois das Festas Patrióticas, Cuéllar começou a trabalhar na fábrica do velho: agora vai entrar na linha, diziam, vai virar um rapaz sério. Mas não aconteceu isso, muito pelo contrário. Ele saía do escritório às seis e às sete já estava em Miraflores e às sete e meia no El Chasqui, debruçado no balcão, bebendo (uma Cristal pequena, um *capitán*) e esperando que chegasse algum conhecido para jogar. Anoitecia ali, entre dados, cinzeiros abarrotados de guimbas, jogadores e garrafas de cerveja gelada, e arrematava as noites vendo um show, em cabarés de quinta categoria (o Nacional, o Pinguino, o Olímpico, o Turbillón) ou, se estivesse duro, enchendo a cara em antros da pior espécie, onde podia deixar de garantia sua caneta Parker, seu relógio Omega, sua pulseira de ouro (cantinas do Surquillo ou do Porvenir), e certas manhãs aparecia arranhado, um olho preto, uma das mãos enfaixada: está perdido, dizíamos, e as garotas coitada da mãe dele e eles sabem que agora ele anda com veados, cafetões e drogados? Mas aos sábados sempre saía conosco. Passava para apanhá-los depois do almoço e, quando não íamos ao hipódromo ou ao estádio, ficavam na casa de Chingolo ou na de Mañuco jogando pôquer até escurecer. Então voltávamos para as nossas casas e tomavam banho e nos arrumávamos e Cuéllar os buscava no poderoso Nash que seu velho lhe dera ao chegar à maioridade, rapaz, já tinha vinte e um anos, já pode votar e a velha não corra muito, meu coração, um dia ainda vai se matar. Enquanto tomávamos uma dose no chinês da esquina, iriam ao restaurante?, discutíamos, o da rua Capón?, e contavam piadas, comer espetinhos Debaixo da Ponte?, Piroquinha era um campeão, à Pizzaria?, sabem aquela do e o que a rãzinha disse e a do general e quando Toñito Mella se cortava ao fazer a barba, o que acontecia? se capava, rá rá rá, o coitado era tão escroto.

  Depois de comer, já animadinhos com as piadas, íamos percorrer bordéis, as cervejas, de La Victoria, a conversa, de Prolongación Huánuco, o molho oriental e a pimenta, ou da avenida Argentina, ou davam uma paradinha no Embassy ou no Ambassador para ver o primeiro show do bar e geralmente terminávamos na avenida Grau, na casa de Nanette. Chegaram os miraflorinos, porque lá os conheciam, olá Piroquinha, por seus nomes e pelos apelidos, como vai? e as meninas adoravam e eles morriam de rir: tudo bem. Cuéllar se irritava e às vezes brigava com elas e saía batendo a porta, não volto mais, mas outras vezes ria e dava corda e esperava, dançando, ou sentado junto ao toca-discos com uma cerveja na mão, ou conversando com Nanette, que eles escolhessem sua menina, que subíssemos e que descessem: que rapidinho, Chingolo, dizia, como foi? ou como demorou, Mañuco, ou fiquei espiando pelo buraco da fechadura, Choto, você tem cabelo na bunda, Lalo. E num desses sábados, quando voltaram para o salão, Cuéllar não estava lá e Nanette de repente ele se levantou, pagou sua cerveja e saiu, nem se despediu. Saímos à avenida Grau e aí o encontraram, encolhido em cima do volante do Nash, tremendo, irmão, o que houve, e Lalo: estava chorando. Você está passando mal, velho?, perguntavam, alguém sacaneou você?, e Choto quem lhe faltou ao respeito?, quem, iam entrar e bateríamos nele e Chingolo as meninas o estavam amolando? e Mañuco não ia chorar por uma besteira qualquer, certo? Que não desse importância, Piroquinha, vamos, não chore, e ele abraçava o volante, suspirava e com a cabeça e a voz cortada não, soluçava, não, não amolaram, e enxugava os olhos com o lenço, ninguém o ofendera, quem ia se atrever. E eles acalme-se, homem, irmão, então por quê, muita bebida?, não, estava doente?, não, nada, estava bem, dávamos palmadinhas em suas costas, homem, velho, irmão, encorajavam-no, Piroquinha. Que se acalmasse, que risse, que desse a partida no potente Nash, vamos sair por aí. Tomariam a saideira no Turbillón, vamos chegar a tempo para ver o segundo show, Piroquinha, que saísse logo e parasse de chorar. Cuéllar afinal se acalmou, arrancou e na avenida 28 de Julho já estava rindo, velho, e de repente um soluço, abra o coração conosco, o que foi, e ele nada, porra, tinha ficado um pouquinho triste, só isso, e eles por que se a vida era doce, compadre, e ele por um monte de coisas, e Mañuco o que por exemplo, e ele que os homens ofendessem tanto a Deus, por exemplo, e Lalo do que você está falando?, e Choto queria dizer que pecassem tanto?, e ele sim, por exemplo, que droga, não é?, sim, e também que a vida fosse tão sem graça. E Chingolo mas que sem graça, homem, era doce como o mel, e ele por que a gente passava o tempo trabalhando, ou bebendo, ou farreando, todo dia a mesma coisa e de repente envelhecia e morria, que merda, não é?, sim. Você estava pensando nisso na casa de Nanette?, ali, diante das meninas?, sim, tinha chorado por isso?, sim, e também de pena dos pobres, dos cegos, dos pernetas, daqueles mendigos que ficam pedindo esmola no largo da União, e dos garotos que vendiam *La Crónica,* que bobo, não é mesmo? e desses caboclinhos que engraxam sapatos na praça San Martín, que bobo, não é mesmo?, e nós claro, que bobo, mas já tinha passado, certo?, claro, já esqueceu?, claro, então dê um risinho para nós acreditarmos, rá rá. Vamos Piroquinha, mais rápido, pé na tábua, que horas eram, a que horas o show começava, ninguém sabia. Ainda estaria lá aquela mulata cubana?, como se chamava?, Ana, como a chamavam?, a Caimana, vamos ver, Piroquinha, prove que já esqueceu mesmo, dê outro risinho: rá rá.

## VI

Quando Lalo se casou com Chabuca, no mesmo ano em que Mañuco e Chingolo se formavam em engenharia, Cuéllar já sofrera vários acidentes e seu Volto vivia amassado, arranhado, com os faróis rachados. Você vai acabar morrendo, meu coração, não faça loucuras e o velho já era o cúmulo, rapaz, até quando ia continuar assim, outra gracinha dessas e nunca mais lhe daria um centavo, que repensasse e se corrigisse, se não for por você faça isso por sua mãe, ele falava pelo seu próprio bem. E nós: você já está grandinho para andar por aí com crianças, Piroquinha. Porque agora dava para isso. Passava as noites jogando com os notívagos do El Chasqui ou do D'Onofrio, ou conversando e bebendo com os veados ou os mafiosos do Haiti (quando será que trabalha, dizíamos, ou será mentira que trabalha?), mas de dia vagabundeava de um canto de Miraflores para o outro e era visto nas esquinas, vestido como James Dean (jeans justos, camisa colorida aberta do pescoço até o umbigo, uma correntinha de ouro dançando no peito e se enredando entre os pelinhos, mocassins brancos), jogando pião com os moleques, batendo bola numa garagem, tocando gaita. Seu carro andava sempre cheio de roqueiros de treze, catorze, quinze anos e, aos domingos, aparecia no Waikiki (queria entrar de sócio, papai, a prancha havaiana era o melhor esporte para não engordar e ele também poderia ir quando fizesse sol, almoçar com a velha em frente ao mar) com bandos de guris, olhem, olhem, está ali, que bonitinho, e que bem acompanhado, que jovial: subia um por um na sua prancha havaiana e ia com eles para lá da arrebentação. Ensinava-os a dirigir o Volvo e se exibia para eles fazendo curvas em duas rodas no Malecón e os levava ao estádio, ao catch, aos touros, às corridas, ao boliche, ao boxe. Pronto, dizíamos, era fatal: veado. E também: mas o que mais lhe restava, era compreensível, desculpável só que, irmão, está cada dia mais difícil andar com ele, na rua todos o olhavam, assobiavam e apontavam, e Choto você liga demais para o que os outros dizem, e Mañuco mas só falam mal e Lalo se nos veem muito com ele e Chingolo vão nos confundir.

Por um tempo dedicou-se ao esporte e eles só faz isso para aparecer: Piroquinha Cuéllar, piloto de automóveis como antes das ondas. Participou do Circuito de Atocongo e chegou em terceiro. Apareceu fotografado em *La Crónica* e *El Comercio* parabenizando o ganhador, Arnaldo Alvarado era o melhor, disse Cuéllar, o brioso derrotado. Mas ficou ainda mais famoso um pouco depois, apostando uma corrida ao amanhecer, da praça San Martín até o parque Salazar, com Quique Ganoza, este pela pista boa, Piroquinha pela contramão. Os policiais o perseguiram desde a Javier Prado, só o alcançaram na Dos de Mayo, como devia estar correndo. Ficou um dia na delegacia e agora chega?, dizíamos, com esse escândalo vai aprender e se emendar? Mas poucas semanas depois sofreu o seu primeiro acidente grave, participando do desafio da morte — as mãos amarradas ao volante, os olhos vendados — na avenida Angamos. E o segundo, três meses depois, na noite da despedida de solteiro de Lalo. Chega, deixe de criancices, dizia Chingolo, pare de uma vez porque eles já eram grandes para essas brincadeirinhas e queríamos descer. Mas ele nem ligava, o que tínhamos, desconfiança no mestre?, tremendos marmanjos e com tanto medo?, não vão fazer xixi nas calças, onde havia uma esquina com água para fazer uma curvinha derrapando? Estava com a corda toda e não podiam convencê--lo, Cuéllar, velho, já era suficiente, deixe-nos nas nossas casas, e Lalo ia se casar amanhã, não queria se arrebentar na véspera, não seja inconsciente, que não subisse na calçada, não atravesse o sinal vermelho nesta velocidade, que deixasse de sacanagem. Bateu num táxi em Alcanfores e Lalo não se machucou, mas Mañuco e Choto ficaram com as caras inchadas e ele quebrou três costelas. Brigamos e um tempo depois ele telefonou e fizemos as pazes e foram comer juntos mas dessa vez alguma coisa tinha se quebrado entre eles e ele e as coisas nunca mais foram como antes.

    Desde então nos víamos pouco e quando Mañuco se casou lhe enviou uma comunicação de casamento sem convite e ele não foi à despedida e quando Chingolo voltou dos Estados Unidos casado com uma gringa bonita e com dois filhos que mal balbuciavam o espanhol, Cuéllar já tinha ido para a montanha, em Tingo María, diziam, foi plantar café, e quando vinha a Lima e o encontravam na rua, mal nos cumprimentávamos, como vai caboclo, como está Piroquinha, o que conta velho, vamos indo, tchau e já tinha voltado para Miraflores, mais louco do que nunca, e já tinha morrido, indo para o Norte, como?, numa batida, onde?, nas curvas traiçoeiras de Pasamayo, coitado, dizíamos no enterro, como sofreu, que vida teve, mas este fim foi ele mesmo que procurou.

Já eram homens feitos e todos tínhamos mulher, carro, filhos que estudavam no Champagnat, no Imaculada ou no Santa María, e estavam construindo uma casinha de verão em Ancón, Santa Rosa ou nas praias do sul, e começávamos a engordar e a ter fios grisalhos, barriguinhas, corpos moles, a usar óculos para ler, a sentir mal-estares depois de comer e de beber e em suas peles já apareciam algumas manchinhas, certas ruguinhas.

Este livro foi impresso
pela Lis Gráfica para a
Editora Objetiva em
outubro de 2010.